Rosana Acquaroni
José Amenós
Agnès Berja
Arancha Pastor
Josefina Simkievich
Carmen Soriano
Iñaki Tarrés

CURSO DE ESPAÑOL
DE NIVEL SUPERIOR

difusión

CURSO DE ESPAÑOL DE NIVEL SUPERIOR

Rosana Acquaroni
José Amenós
Agnès Berja
Arancha Pastor
Josefina Simkievich
Carmen Soriano
Iñaki Tarrés

Autores del modelo de examen DELE C1
Rocío Garrido, Jesús Herrera

Coordinación pedagógica
Agustín Garmendia, Pablo Garrido

Coordinación editorial y redacción
Agnès Berja, Clara Serfaty

Maquetación
Samanta Barés, Oriol Frías

Ilustraciones
David Buisán (pág. 92), Roger Pibernat (pág. 9)

Corrección
Cálamo&Cran

Agradecimientos
Alba Pardina

© Los autores y Difusión, S.L. Barcelona 2017
ISBN: 978-84-16657-02-5
Reimpresión: Junio 2019
Impreso en España por Imprenta Mundo

MIXTO
Papel procedente de fuentes responsables
FSC® C125125

difusión
Centro de Investigación y Publicaciones de Idiomas, S. L.

C/ Trafalgar, 10, entlo. 1ª
08010 Barcelona
Tel. (+34) 93 268 03 00
Fax (+34) 93 310 33 40
editorial@difusion.com

www.difusion.com

¿Cómo es el cuaderno de ejercicios de **C de C1**?

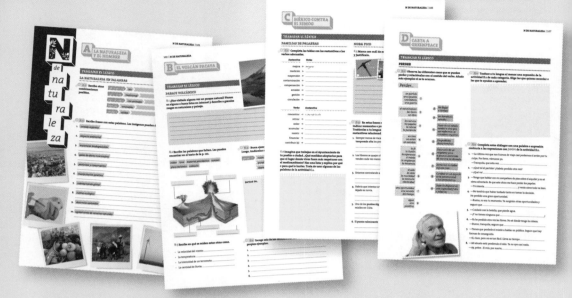

ESTRUCTURA DE LAS UNIDADES

Al igual que en el Libro del alumno, las unidades de este cuaderno se estructuran en cuatro secciones (**A**, **B**, **C** y **D**).

ACTIVIDADES

Si bien la mayoría de las actividades se pueden resolver individualmente, en determinadas ocasiones se plantea un trabajo de reflexión o experimentación lingüística que necesariamente se beneficiará de la interacción en clase con el profesor o los compañeros.

Actividades estratégicas

Las actividades señaladas con el icono tienen como objetivo desarrollar las estrategias de aprendizaje: extraer reglas de uso, reflexionar sobre formas lingüísticas, parafrasear... Además, en numerosas ocasiones se propone un trabajo de mediación y traducción, de manera que el estudiante tiene ocasión de contrastar el funcionamiento del español con el de su propia lengua u otras que conoce.

PREPARACIÓN AL DELE C1

Al final del libro se puede encontrar un modelo completo de examen para la prueba del DELE C1 con consejos y sugerencias para superarlo.

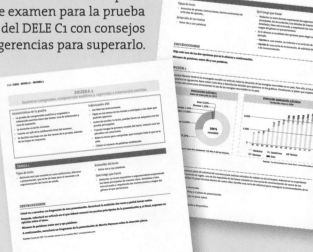

Audios, transcripciones y soluciones de los ejercicios en **www.campus.difusion.com**

Recursos gratis para estudiantes y profesores

campus difusión

ÍNDICE

D DE DISCURSO

A.1, A.2, A.3 → Léxico relacionado con los discursos (**dar un discurso**, **perder el hilo**, etc.).

B.1 → Verbos para expresar cambios: **humanizar(se)**, **enrojecer**, etc.

B.2 → Familias de palabras: verbos, adjetivos y sustantivos.

B.3, B.4 → Expresiones relacionadas con el comportamiento y el grado de sinceridad: **sincerarse**, **ir de cara**, **hablar sin tapujos**, etc.

B.5 → Latinismos: *ipso facto*, *in crescendo*, etc.

B.6 → Contraste entre el infinitivo simple y el infinitivo compuesto.

B.7, B.8 → La construcción **ver(se)** + participio.

B.9 → Marcadores consecutivos: **consecuentemente**, **de ahí que**, etc.

C.1 → Reformular fragmentos de un discurso.

C.2 → Léxico para hablar de la riqueza de un país (**próspero/a**, **estabilidad**, etc.).

C.3 → Sustantivación.

C.4 → Alternativas al verbo **tener**.

C.5, C.6 → Palabras y expresiones relacionadas con la gastronomía, especialmente la peruana.

C.7 → Recursos para hablar de cantidad y tamaño: **inmenso/a**, **vasto/a**, **exorbitante**, etc.

C.8, C.9 → Escuchar fragmentos de discursos en situaciones diferentes.

C.10 → Recursos para reforzar una aserción: **no en vano**, **en efecto**, etc.

D.1, D.2, D.3 → Léxico y expresiones relacionadas con las normas sociales.

D.4 → Léxico relacionado con la política: **democracia**, **elecciones**, **ministro/a**, etc.

D.5 → La expresión **llegar al extremo de**.

D.6 → Combinaciones frecuentes con el verbo **entrar** (*A esta hora siempre **me entra hambre**.*).

D.7 → Uso de expresiones (**ser agua pasada**, **no tener remedio**, etc.).

D.8, D.9 → Uso de **por momentos**, **por un momento** y **por el momento**.

D.10, D.11 → Uso de **al principio** y **en principio**.

D.12 → Uso de indicativo o subjuntivo para expresar opinión o valoración.

D.13 → **Llegar a** + infinitivo.

D.14, D.15 → **Parecer** + infinitivo (*La torpeza de los políticos **parece** no **tener** remedio.*).

E DE EMOCIONES

A.1, A.2 → Emociones y contenidos virales.

A.3, A.4 → Juegos de palabras.

A.5, A.6 → Los memes: escuchar una entrevista y buscar información.

B.1, B.2 → Léxico relacionado con las emociones y los sentimientos.

B.3 → Léxico relacionado con el fútbol.

B.4 → Los verbos **quedarse**, **estar** y **dejar** para hablar de emociones.

B.5 → Algunos usos del gerundio.

B.7 → Crear símiles relacionados con el fútbol.

C.1, C.2, C.3 → Esfuerzos y sacrificios que requieren ciertas actividades y deportes.

C.4, C.5 → Colocaciones y verbos para hablar de sentimientos y emociones.

C.6, C.7 → Pronombres tónicos y el adjetivo **mismo/a** (*Puedo valerme por **mí mismo**.*).

C.8 → Perífrasis verbales de inicio: **ponerse a** + infinitivo, **echar(se) a** + inf. **romper a** + inf.

C.9, C.10 → Uso de **como que** (*De niña, **como que** desperté el interés por la danza.*).

C.11 → Mecanismos de generalización: 2ª. persona del singular, **uno** y **cada cual**.

D.1, D.2 → Verbos en sentido figurado: **abrazar**, **tragar**, **forjar**, **huir** y **atrincherarse**.

D.3, D.4 → Infinitivo / **que** + subjuntivo en recomendaciones.

D.5, D.6 → Palabras y expresiones vulgares.

F DE FRONTERAS

A.1 → El concepto de **frontera**.

A.2 → El verbo **discriminar**.

B.1, B.2 → El verbo **tratar** (**tratar la madera**, **tratar un tema**, etc.).

B.3, B.4 → Léxico para hablar de relaciones entre personas: **conectar**, **ser uña y carne**, etc.

B.5, B.6, B.7, B.8 → Expresar impersonalidad: el pronombre **se**, **uno**, **la gente**, **todo el mundo**.

B.9, B.10 → El futuro y el condicional (simple y compuesto) para expresar hipótesis.

B.11, B.12, B.13 → Uso de **tú** y **usted**.

C.1 → Adjetivos para hablar del carácter y de la personalidad.

C.2 → Valor del sufijo -**izo/a**.

C.3 → **Ya está bien de** + sustantivo/infinitivo.

C.4 → Uso de la expresión (**de**) **buen/mal rollo**.

C.5 → La palabra **rollo**.

C.6, C.7 → Uso de los estilos directo e indirecto.

D.1 → Riqueza léxica: diferentes maneras de referirse a lo mismo en un texto.

D.2 → Buscar información sobre una película.

D.3, D.4 → La construcción **serle** + adjetivo.

D.5 → Buscar imágenes y describirlas.

H DE HORARIOS

A.1, A.2 → Entender un gráfico.

A.3 → Expresiones para hablar de horarios.

B.1, B.2 → Combinaciones frecuentes: **plantear un debate**, **conciliar el sueño**, etc.

B.3 → La palabra **horario**.

B.4 → Hablar de efectos, repercusiones y consecuencias: **evitar**, **fomentar**, etc.

B.5, B.6, B.7 → Correlación temporal (*Eso **haría** posible que los padres **pasen/pasaran**...*).

B.8, B.9 → **Acabar** + gerundio/infinitivo.

C.1 → Imperativos lexicalizados (**anda**, **mira**, etc.).

C.2, C.3 → Adjetivos terminados en –**ado/a** y en –**nte**: **saciado/a** – **saciante**.

C.4 → **Como** + indicativo/subjuntivo.

C.5 → Valores de **hasta**.

C.6 → La construcción **o bien... o bien**.

D.1 → Combinaciones frecuentes: **dar valor (a)**, **hacer uso (de)**, **educar en valores**...

D.2 → La expresión **hacer suyo/a/os/as**.

D.3 → La calidad de vida y los horarios.

D.4 → La concordancia entre sujeto y verbo.

D.5 → Verbos y expresiones con preposición regida.

D.6 → Escribir un correo electrónico para opinar sobre un manifiesto.

I DE IDENTIDAD

A.1, A.2 → Recursos para hablar de la percepción que otras personas tienen de nosotros.

A.3 → Los verbos **caracterizar(se)**, **definir(se)**, **considerar** e **identificar(se)**.

B.1, B.2 → Léxico relacionado con los ordenadores y dispositivos móviles.

B.3, B.4, B.5, B.6, B.7 → Expresiones y frases hechas para hablar del carácter y de la actitud de las personas.

B.8, B.9 → Léxico para hablar de habilidades.

C.1, C.2 → Hablar de la imagen de un país.

C.3, C.4 → Hablar de la imagen y de la fama: **imagen pública**, **ganarse la fama (de)**, etc.

C.5 → Leer un texto sobre hábitos en el trabajo y contrastar ideas.

D.1, D.2, D.3 → Hablar de cambios: **ir camino de**, **ser menos... que**, etc.

D.4, D.5, D.6 → Describir fotografías: **de perfil**, **de cuerpo entero**, **encuadrar**, etc.

M DE MEMORIA

A.1, A.2 → Los verbos **aprender(se)**, **saber(se)**, **recordar** y **olvidar(se)**.

A.3 → Léxico relacionado con la memoria: **hacer memoria**, **venir a la memoria**, etc.

B.1 → Léxico relacionado con el cine.

B.2, B.3 → Léxico relacionado con la historia.

B.4 → Familias de palabras.

B.5, B.6, B.7 → Combinaciones frecuentes con las palabras **frase**, **fuerza**, **juicio** y **novela**.

B.8 → **Lo** + adjetivo.

C.1, C.2 → Uso de los estilos directo e indirecto.

C.3, C.4, C.5 → Uso del **se** accidental.

C.6 → Usar el estilo indirecto y frases con **se** para describir lo que sucede en unas viñetas.

C.7 → Diferencias de vocabulario entre países de habla hispana.

C.8 → Recursos para corregir información.

D.1 → Uso de **constituir**, **poner de manifiesto**, **suponer** y **tomar conciencia**.

D.2 → Expresiones con el verbo **marcar**: **marcar un antes y un después**, **marcar un hito**, etc.

D.3 → Uso de **no menos de** y **nada menos (que)**.

D.4 → Uso de **entre sí**.

M DE MUJERES

A.1, A.2, A.3 → Expresiones con **lío** y **liar(se)**.

A.4, A.5 → El verbo **mantener(se)**.

A.6, A.7, A.8 → El verbo **rendir(se)**.

A.9 → Crear una viñeta para una tira cómica.

B.1 → Combinaciones léxicas: **marcar el inicio**, **tomar conciencia**, etc.

B.2, B.3 → Uso de **experiencia/s**, **ejemplo/s**, **contacto/s**, **interés/es** y **práctica/s**.

B.4 → Léxico relacionado con la marcha y la vuelta a casa de una persona.

B.5, B.6 → Las perífrasis **ir** + gerundio, **venir** + gerundio y **terminar** + gerundio.

C.1, C.2 → Léxico relacionado con la igualdad de género: **empoderar**, **roles establecidos**, etc.

C.3 → Investigar sobre la lengua quechua.

C.4 → Usos de **se**.

C.5 → Los verbos **quedar(se)**, **jugar(se)**, **aprovechar(se)** y **despedir(se)**.

D.1, D.2 → Expresiones coloquiales para hablar del físico, el estilo y las aficiones.

D.3 → Combinaciones y frases hechas: **fenómeno social**, **llevar la iniciativa**, etc.

D.4 → Completar un texto con un nuevo párrafo.

N DE NATURALEZA

A.1, A.2 → Léxico relacionado con la naturaleza y el medioambiente: **energías renovables**, **cultivo ecológico**, etc.

B.1 → Describir un parque natural.

B.2 → Léxico relacionado con los volcanes.

B.3 → Recursos para medir fenómenos meteorológicos.

B.4, B.5 → Colocaciones con el verbo **entrar**: **entrar en erupción**, **entrar en razón**, etc.

B.6, B.7 → Combinaciones frecuentes con la palabra **daños**: **daños leves**, **daños cerebrales**.

B.8 → Acepciones del verbo **tocar**.

B.9 → Verbos de percepción + infinitivo (*Me encanta **mirar pasar** los aviones.*).

B.10 → Usos de **por** y **para**.

B.11, B.12 → Recursos literarios para describir: la metáfora, la personificación y el símil.

C.1, C.2 → Léxico relacionado con la gestión medioambiental y la contaminación.

C.3 → La expresión **hora pico**.

C.4 → Recursos para referirse a la intensidad: **temporada baja**, **pico de trabajo**, etc.

C.5 → Oraciones y marcadores concesivos: **aunque**, **a pesar de (que)**, **si bien**, etc.

C.6 → Los conectores **es decir** y **de hecho**.

C.7 → Reescribir frases en registro coloquial.

D.1, D.2, D.3 → El verbo **perder**.

D.4 → Reformular lo que expresan algunos verbos: **señalar**, **negar**, **tergiversar**, etc.

D.5 → Verbos con preposición regida.

D.6 → Transformar una carta formal en un manifiesto.

O DE ORÍGENES

`113`

R DE RED

`121`

S DE SEDUCCIÓN

`131`

T DE TECNOLOGÍA

`139`

CAMBIAR DE PROFESIÓN

ENTRAR EN EL TEMA

HACER CARRERA

A.1 En las siguientes frases aparece el verbo hacer con diferentes significados. Léelas y traduce a tu lengua, o a otra que conozcas bien, las expresiones destacadas.

1. Gracias al fármaco que patentó, **hizo** una gran **fortuna**. Ahora se dedica a financiar proyectos de investigación farmacéutica. ▸ ....

2. Al principio no me llevaba muy bien con mi compañera de piso, pero después de un año de convivencia, **nos hemos hecho amigas**. ▸ ....

3. Una vez fui a hacerme la pedicura y me **hicieron** tantas **cosquillas** en los pies que no he vuelto a ir. ▸ ....

4. Ya sé que estamos de vacaciones y que aquí nadie nos conoce, pero deja de **hacer el tonto**, que me da vergüenza. ▸ ....

5. En esta región **hacen** unos **quesos** buenísimos. ▸ ....

6. Mira qué **dibujo** tan bonito **ha hecho** tu hijo. ▸ ....

7. Voy a casa a **hacer la maleta**, que mañana el avión sale a primera hora. ▸ ....

8. Antes de la boda iré a **hacerme las uñas**, pero nada más. Maquillarme y peinarme lo haré yo en casa. ▸ ....

9. Dani hace lo que sea para ganar. El otro día **hizo trampas** jugando con los niños a las cartas. ▸ ....

10. Creo que **he hecho bien** invitándola a la boda. Hace tiempo que no nos vemos, pero fuimos muy amigas. ▸ ....

A.2 Como has comprobado, el verbo hacer tiene sentidos diferentes. Relaciona los ejemplos de la actividad A.1 con su significado.

hacer fortuna	1	A	Usar o emplear lo que los nombres significan.
hacerse amigo/a (de)	2	B	Producir, elaborar.
hacer cosquillas	3	C	Causar, ocasionar.
hacer el tonto	4	D	Arreglar o embellecer alguna parte del cuerpo.
hacer queso	5	E	Obrar, actuar, proceder.
hacer un dibujo	6	F	Parecer, comportarse como.
hacer la maleta	7	G	Realizar, ejecutar.
hacerse las uñas	8	H	Disponer, componer, aderezar.
hacer trampas	9	I	Convertirse en, llegar a ser.
hacer bien	10	J	Conseguir, obtener, ganar.

A.3 Estas palabras también pueden combinarse con el verbo hacer. Clasifícalas según el sentido que tienen. ¿Se te ocurren otras? Puedes crear más categorías.

amigos · (un) análisis · carrera · dinero · gestos · gracia · el payaso · ilusión · el ridículo · socios · caja · el animal · el primo · señales · pan · una tortilla · los pómulos · las cejas · mal · un trabajo · un resumen · la cama

- usar o emplear lo que los nombres significan: → hacer trampas, ...
- producir, elaborar: → hacer queso, ...
- causar, ocasionar: → hacer cosquillas, ...
- arreglar o embellecer alguna parte del cuerpo: → hacerse las uñas, ...
- obrar, actuar, proceder: → hacer bien, ...
- parecer, comportarse como: → hacer el tonto, ...
- realizar, ejecutar: → hacer un dibujo, ...
- disponer, componer, aderezar: → hacer la maleta, ...
- convertirse en, llegar a ser: → hacerse amigo/a (de), ...
- conseguir, obtener, ganar: → hacer fortuna, ...

A.4 Usa las palabras de las etiquetas para escribir frases sobre tu experiencia laboral.

trabajar a ❭ tiempo completo ❭ tiempo parcial

cambiar de ❭ trabajo ❭ empresa ❭ sector

hacer ❭ (unas) prácticas ❭ un curso de formación

trabajo ❭ bien remunerado ❭ mal remunerado

incorporarse a ❭ un trabajo ❭ una empresa

empezar de ❭ + cargo ❭ + profesión

mercado ❭ de trabajo ❭ laboral

dejar ❭ un trabajo ❭ los estudios

estar en ❭ prácticas

(re)orientar ❭ la vida profesional ❭ la carrera

recibir ❭ una indemnización

pasar de... a...

reciclarse

reinventarse

B TENDENCIAS EN EL APRENDIZAJE A DISTANCIA

ENTENDER EL DOCUMENTO

TENDENCIAS

B.1 🔊 1 **Escucha esta entrevista a un experto sobre gamificación y marca si las siguientes frases reflejan el contenido de lo que dice. Si no lo hacen, corrígelas.**

1. Jugar es una práctica de ocio, pero puede modificar nuestra forma de ver la realidad. ☐

2. La costumbre de jugar ha hecho que los alumnos esperen hacer cosas en clase que les resulten motivadoras. ☐

3. La gamificación es tomarse las experiencias vitales como un juego, aunque no sea siempre agradable. ☐

4. La gamificación hace que el aprendizaje se convierta en un medio para alcanzar un objetivo dentro del propio juego. ☐

5. Al jugar, los alumnos participan activamente y, por eso, pueden aprender más que con metodologías tradicionales. ☐

6. Lo importante es que los alumnos aprenden, y no importa si no se dan cuenta. ☐

7. Un riesgo de aprender mediante juegos es que podemos hacer que el aprendizaje se aparte de la realidad. ☐

B.2 **¿Estás de acuerdo con las opiniones del experto? ¿Te parece que la gamificación puede ser un buen recurso educativo? ¿Participarías en un curso que estuviese organizado siguiendo estas técnicas? Escribe un texto para colgar en el apartado "Comentarios" del portal que publicó la entrevista.**

TRABAJAR EL LÉXICO

SENTIDO FIGURADO

B.3 Reformula la parte destacada de estas frases usando alguna de estas expresiones.

> acuñar   darle una vuelta (a algo)   florecer   matar (una sensación)

1. Lo de la corrupción a pequeña escala es un asunto curioso, en el que a muchos no se nos ha ocurrido nunca pensar. Y sin embargo, merece la pena **reflexionar sobre ello**. Probablemente todos hemos hecho alguna trampa (o trampita) en alguna ocasión.

> ....

2. Algunos fumadores dicen que el tabaco les ayuda a **controlar el hambre, los nervios o el aburrimiento**.

> ....

3. La Inquisición y otras instituciones a lo largo de la historia emplearon métodos que podrían denominarse "lavado de cerebro". En 1950, un periodista estadounidense llamado Edward Hunter **popularizó esta expresión** para describir lo que estaba ocurriendo con los soldados de la guerra de Corea: algunos de los soldados que regresaban cambiaban completamente su modo habitual de pensar y comportarse.

> ....

4. En el año 2006, cuando la **economía prosperaba** en el país, el presidente de la empresa anunció su decisión de trasladar la sede a otro lugar. Nadie entendió su decisión.

> ....

B.4 Utiliza las siguientes combinaciones para crear tus propios ejemplos. Escribe dos frases con cada verbo.

> acuñar ▸ un nombre ▸ un eslogan ▸ un aforismo ▸ un mote
>
> darle una vuelta a ▸ un asunto ▸ una cuestión ▸ un proyecto ▸ un caso
>
> florecer ▸ un negocio ▸ el turismo ▸ el amor ▸ un imperio ▸ una industria
>
> matar ▸ la sed ▸ el gusanillo ▸ el sueño

1. ....
....

2. ....
....

3. ....
....

4. ....
....

5. ....
....

6. ....
....

7. ....
....

8. ....
....

B.5 Busca información en internet para responder estas preguntas.

1. ¿Quién acuñó el término 'mileurista'? ¿Cuándo?
....

2. ¿Qué comercio especulativo floreció en Holanda a principios del siglo XVI? ....

3. ¿Qué estilo arquitectónico floreció en Flandes en el siglo XIII?

4. ¿Qué es el matahambre y por qué crees que se llama así?
....

5. 'Soy el agua que mata tu sed' es una frase de una canción. ¿De cuál? ¿Qué crees que quiere decir?
....
....

SACAR

B.6 Sustituye la parte destacada de las frases por una de estas expresiones con el verbo sacar, adaptándola al contexto. ¿Qué versión de las frases te parece que es más coloquial?

sacar partido   sacar los billetes   sacar tiempo   sacar el parecido   sacar faltas
sacar conclusiones   sacar punta (a algo)   sacar un tema   sacar pecho

1. ¡Qué malpensados sois! Siempre **les buscáis dobles sentidos** a las cosas que digo.

2. Cuando habla de su época de alcalde, siempre **se muestra orgulloso de sus logros**.

3. Cuando ya terminaba la reunión, de pronto, el director **empezó a hablar** de las vacaciones y de que había que organizarse bien.

4. Yo digo que Marta está embarazada. Las últimas veces que hemos quedado no ha probado ni una gota de alcohol, un par de veces ha dicho que no le apetecía *sushi*, ¡y le encanta!, y hoy me ha vuelto a poner excusas para no ir al rocódromo... **Deduce**.

5. Debo de tener una cara muy normal, porque siempre **me dicen que me parezco a** otras personas: un actor de cine, un futbolista, un cantante...

6. Se nota que no te gusta ese coche. No haces más que **mencionar los defectos que le encuentras**.

7. Si piensas ir a México en verano, **compra ya los billetes**, que luego los precios se disparan.

8. Si quieres correr el maratón en menos tiempo, necesitarás un entrenador que te ayude a **aprovechar bien** tu potencial.

9. Somos muy amigas. Cuando me llama, siempre **organizo mis ocupaciones** para poder quedar con ella.

TRABAJAR LA GRAMÁTICA

CONTINUIDAD Y CAMBIO

B.7 Piensa en cambios que ha habido en tu vida en los últimos años y en cosas que, por el contrario, no han cambiado. Escribe un breve texto con esas ideas, utilizando estas construcciones.

DEJAR/SEGUIR
- **Dejar de** + infinitivo
- **No dejar de** + infinitivo
- **Seguir sin** + infinitivo
- **Seguir** + gerundio

OBSERVAR EL DISCURSO

ANGLICISMOS

 **B.8** Lee estos titulares de periódico en los que aparecen anglicismos. ¿Qué término en español se podría haber usado en lugar de la palabra inglesa?

DETENIDO UN ´HACKER´ POR EL MAYOR ATAQUE CONTRA INTERNET EN ESPAÑA

50 sombras de Grey y la Biblia los grandes 'best sellers' mexicanos

Participantes del Programa Làbora ven la edad como el mayor 'handicap' para lograr empleo

....

....

....

BLU PRODUCTS, NUEVO SPONSOR PRINCIPAL DEL VALENCIA

'Baby boom' sin precedentes en Islandia nueve meses después de la Eurocopa

Malas noticias para Lanús: Fernando Barrientos dio positivo en un control antidoping

....

....

....

B.9 Investiga en internet sobre los anglicismos. ¿Cómo deben escribirse las palabras extranjeras en un texto en español?

....

....

C VOLVER A LA ESCUELA

TRABAJAR EL LÉXICO

EDUCACIÓN

C.1 Escribe un correo electrónico de presentación para enviárselo a una empresa en la que te gustaría trabajar.

TRABAJAR LA GRAMÁTICA

RECURSOS PARA COMPARAR

C.2 Completa las frases con que o con de.

1. Según una encuesta del Centro de Investigaciones Sociológicas, algo más .... una cuarta parte de los españoles afirman sentirse muy satisfechos con su vida en general.

2. La familia, la relación de pareja y los amigos son los aspectos con los que los españoles se sienten especialmente satisfechos, mucho más .... el trabajo o la situación económica.

3. Relacionarse satisfactoriamente con las personas es algo más .... confiar en ellas: tiene que ver con poder compartir tiempo y experiencias.

4. Los datos sobre el bienestar emocional de la población son más .... una anécdota: la prosperidad de un país tiene relación con la felicidad de sus habitantes.

5. Los países del norte de Europa encabezan el "índice de felicidad", según las Naciones Unidas. La clasificación combina seis variables: el producto interior bruto, las ayudas sociales, la esperanza de vida, la libertad, la generosidad y la falta de corrupción. Los primeros países del *ranking* suman más .... 7 000 puntos.

C.3 Aquí tienes datos sobre los tipos de contrato firmados en España durante el año 2014 según el nivel de estudios. Establece comparaciones entre los distintos niveles de estudios y tipos de contratos. Para ello, te serán útiles los recursos de las actividades C.10 a C.13 del Libro del alumno.

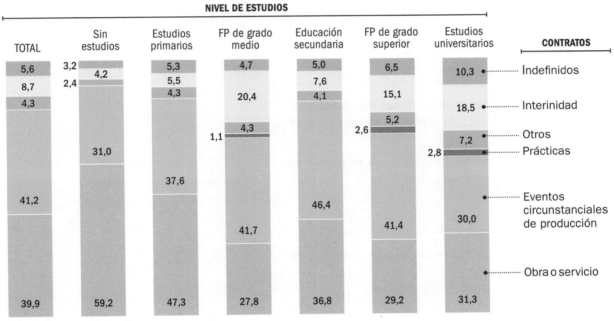

Fuente: Ministerio de Empleo

 **NO ES JUSTO**

TRABAJAR EL LÉXICO

ESTUDIOS Y TRABAJO

D.1 Busca en el texto "Cumpleaños" (p. 19 del Libro del alumno) palabras y expresiones relacionadas con los estudios y el trabajo y cópialas en la tabla.

estudios	trabajo

DOBLE SENTIDO

D.2 Compara el significado de las expresiones marcadas en negrita en cada par de frases. Luego, di lo mismo con tus propias palabras.

1. **a. Un buen día**, de pronto, desperté. Me di cuenta de que no era especial.
   b. Hemos pasado **un buen día**, ¿no crees?

   a.

   b.

2. **a.** La especialización completa es mucho mejor y, **si cabe**, aún más fácil.
   b. —¿Dónde guardo la sombrilla?
      —**Si cabe**, en el armario. Si no, la subiremos al trastero.

   a.

   b.

3. **a.** El cambio radical **pasa por** abandonar mi actual empleo por otro a media jornada.
   b. El río Guadalquivir **pasa por** las provincias de Jaén, Córdoba, Sevilla y desemboca en Cádiz.

   a.

   b.

4. **a.** No es justo que mis jefes sepan menos idiomas que yo, menos del negocio que yo, y que se queden donde están porque "**es lo que hay**".
   b. Cariño, ¿lo que tengo que llevarle a tu madre **es lo que hay** encima de la mesa?

   a.

   b.

TRABAJAR LA GRAMÁTICA

NO SE ME VALORA

D.3 Lee esta frase y fíjate en los pronombres destacados en negrita. Escribe la función de cada uno.

"No es justo que tenga que trabajar horas y horas extra para no perder un empleo donde no **se me** valora ni un segundo."

D.4 Escribe frases con estas construcciones.

- se la quiere:
- se os perdona:
- se me llama:
- se les dará:
- se nos recordará:
- se te echó en falta:
-

A ARTE EN ESTADO PURO

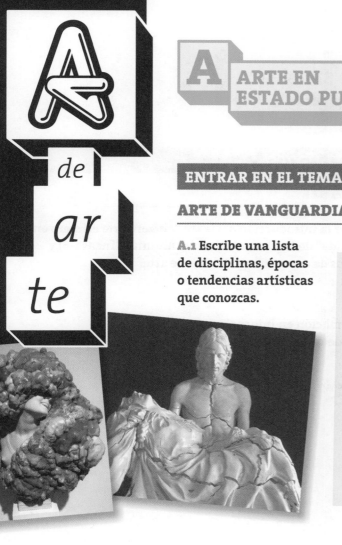

ENTRAR EN EL TEMA

ARTE DE VANGUARDIA

A.1 Escribe una lista de disciplinas, épocas o tendencias artísticas que conozcas.

DISCIPLINAS
- arquitectura

ÉPOCAS
- barroco

A.2 Observa estas fichas y, tomándolas como ejemplo, elabora dos más de otras dos disciplinas artísticas.

ESCULTURA

Tipos: busto, estatua, torso, bajo relieve, cinética

Materiales: piedra (mármol, granito, cuarzo, alabastro, jade, estuco), arcilla, marfil, metal (cobre, oro, bronce, plata, acero), madera, hormigón

Técnicas: modelar, cincelar, vaciar, repujar, estampar, troquelar, soldar, tallar

DANZA

Tipos: contemporánea, clásica, moderna, popular, bailes de salón, bailes latinos (salsa, tango, bachata...)

Vestimenta: tutú, zapatillas, puntas, mallas, traje (regional)

Escenificación: coreografía (grupal, individual), pasos, pirueta, suelto, agarrado

Personas: bailarín/a, bailaor/a, coreógrafo

A.3 Escribe la definición del verbo destacado en cada frase.

1. En su última novela, el autor **reinterpreta** el mito clásico de Orfeo y Eurídice desde una perspectiva contemporánea.
- reinterpretar:...

2. Para mí, lo mejor de la película es cómo han conseguido **recrear** toda una época a través del vestuario y la ambientación.
- recrear:...

3. Los fondos recaudados con el concierto de ayer se destinarán a **reconstruir** la catedral.
- reconstruir:..

4. Comenzarán a **restaurar** los frescos de Goya de la ermita de San Antonio de la Florida el próximo mes de julio.
- restaurar:...

A.4 ¿Con qué estilo o tipo de arte asociarías estas afirmaciones? Puedes utilizar palabras de las etiquetas u otras.

arte grecorromano	impresionismo
surrealismo	naturalismo	hiperrealismo
arte románico	arte abstracto	barroco

- Hasta un niño puede hacer obras de ese tipo.

....

- Es accesible para un público muy amplio.

....

- No me dice nada.

....

- Es atemporal.

....

- No deja espacio para la imaginación.

....

- No es fácil de entender.

....

- Puede significar cualquier cosa.

....

- Nunca pasa de moda.

....

Niños en la playa. Joaquín Sorolla (1910)

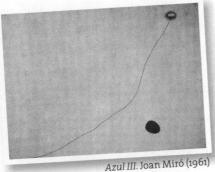

Azul III. Joan Miró (1961)

Madrid desde Torres Blancas. Antonio López (1976-1982)

ARTE PARA LOS SENTIDOS

TRABAJAR EL LÉXICO

HABLAR DE ARTE

B.1 Vuelve a leer la introducción del texto "on&on, arte efímero en La Casa Encendida" de la p. 22 del Libro del alumno (líneas 1-6) y busca sinónimos de exposición y de obra de arte.

→ ....

B.2 Busca información en internet y haz una lista de las características de una instalación artística.

– Suele ser perecedera.

B.3 ¿En qué se diferencia una instalación artística de una obra de arte convencional? A partir de la lista que has elaborado en la actividad B.2, escribe un breve texto comparando los dos conceptos.

B.4 Responde a estas preguntas.

1. ¿Qué obra pictórica o escultórica te ha resultado impactante? ¿Por qué?

....

2. ¿Crees que hay manifestaciones artísticas que pueden resultar desagradables para el espectador? Pon algún ejemplo concreto.

....

3. ¿Qué cuadro, escultura o edificio dirías que es de una belleza sorprendente?

....

4. ¿Has visitado alguna exposición que te resultara especialmente interesante?

....

5. ¿Alguna vez has ido a una exposición en la que las obras estimularan algún otro sentido, además de la vista?

....

TRABAJAR EL LÉXICO

LOS CINCO SENTIDOS

B.5 Observa los recursos para hablar de los sentidos que aparecen en estas frases y tradúcelos a tu lengua.

- Este flan está buenísimo. Voy a comérmelo despacio para **saborearlo** bien.
  > ....

  EL GUSTO

- El tofu no me gusta, no **tiene** mucho **sabor**.
  > ....

- **¿Has probado** la *pitahaya*? **¿A** qué **sabe**?
  > ....   > ....

- ¿Te apetece ir conmigo a una **cata** de vinos? Te ofrecen vinos para **degustar** mientras te explican sus características.
  > ....   > ....

- Carlitos **tiene** muy **buen oído para** la música.
  > ....

  EL OÍDO

- Dani **ha desoído** todo lo que le he dicho. Nunca me hace caso.
  > ....

- Si **aguzas** bien **el oído**, oirás un pitido. Es casi imperceptible.
  > ....

- El otro día no **sonó** mi despertador y llegué tarde al trabajo.
  > ....

- Esta tela **tiene un tacto** muy agradable. Mira, **pasa la mano**.
  > ....   > ....

- En la visita al ginecólogo me enseñaron cómo **palpar** el pecho.
  > ....

- Si quieres acompañarme al mercado, prométeme que no vas a **toquetear** la fruta.
  > ....

- Le pediré a Ana que venga conmigo de compras, que ella **tiene** muy **buen ojo para** la moda.
  > ....

  LA VISTA

- **¿Te has fijado en** las botas que lleva esa chica? Son preciosas.
  > ....

- Tengo que cambiarme las gafas; con estas **veo borroso**.
  > ....

- Llevo gafas para **ver de cerca**. **De lejos veo** bien.
  > ....   > ....

- ¡Qué bien **huele** este perfume! Creo que me lo voy a comprar.
  > ....

  EL OLFATO

- Se me olvidó sacar la compra de la mochila y ahora todo **huele a** plátano.
  > ....

- La nevera **apesta**, creo que se ha podrido algo.
  > ....

- A mi hija le encanta estar por el jardín **olisqueando** las flores.
  > ....

- Prefiero comprar libros usados. Me gusta que estén **manoseados**.
  > ....

  EL TACTO

- Me he quedado dormida en la playa. Se estaba tan bien bajo el sol y con el viento **acariciándome** la piel... ¡Suerte que me han despertado!
  > ....

B.6 Elige dos expresiones de la actividad anterior y escribe tus propias frases de ejemplo.

EL GUSTO
→ ....
→ ....

EL OLFATO
→ ....
→ ....

EL OÍDO
→ ....
→ ....

LA VISTA
→ ....
→ ....

EL TACTO
→ ....
→ ....

B.7 **Completa cada frase con uno de los adjetivos de las etiquetas, en singular o plural.**

empalagoso/a   estridente   delicado/a   tenue   armónico/a   cálido/a   vivaz   blando/a   rancio/a   nauseabundo/a

1. El predominio de los colores .... (tonos ocres, amarillos, marrones) en las paredes y tapizados, combinados con los muebles rústicos de madera, consiguen crear un ambiente agradable y acogedor.

2. Me gustan los dátiles, pero son tan dulces que a veces resultan un poco ....

3. Este vestido me encanta. El diseño es muy original, y tiene un tacto muy .... Es como si no llevara nada.

4. Este vino está .... ¿Abrimos otra botella?

5. El pasillo estaba iluminado con una luz tan .... que apenas se distinguían las puertas de las habitaciones.

6. El flautín es un instrumento musical parecido a la flauta, pero tiene un sonido más agudo y hasta un poco ....

7. Se nota que David se está recuperando de la enfermedad. Se le ve más animado y tiene una mirada mucho más ....

8. Me encanta Renoir. Sus cuadros tienen siempre una gama de color muy .... y equilibrada.

9. Los vasos de cerámica todavía no se han endurecido del todo, están un poco ....

10. Cuando estuve en Vietnam no probé el *durian*. Dicen que sabe muy bien, pero el olor es ....

B.8 **Escribe un ejemplo concreto de estas cosas.**

- Un sonido estridente: ....
- Un olor nauseabundo: ....
- Un olor embriagador: ....
- Un tacto áspero: ....
- Un tacto delicado: ....
- Un sabor empalagoso: ....
- Un color frío: ....

B.9 **Fíjate en el ejemplo y escribe con tus propias palabras qué pasa cuando suceden estas cosas.**

1. Cuando una obra estimula los sentidos: *activa el funcionamiento de los sentidos, como el olfato o el oído.*

2. Si de una habitación llena de gente se adueña el silencio: ....

3. Si en un sitio el olor a fresa envolvía la sala: ....

4. Si un artista plasma la tristeza en sus obras: ....

5. Si se diluyen los límites: ....

VER(SE) + PARTICIPIO

B.10 **Marca qué matiz crees que aporta la construcción ver(se) + participio.**

- Un gigantesco enjambre de abejas **invadió** ayer el distrito londinense de Greenwich.
- El distrito londinense de Greenwich **se vio invadido** ayer por un gigantesco enjambre de abejas.

- La novela va de un hombre que **está implicado** en un crimen.
- La novela va de un hombre que **se ve implicado** en un crimen.

☐ Indica falta de control sobre una situación.

☐ Añade un matiz de inmediatez de la acción expresada por el verbo que lo acompaña.

B.11 **Sustituye la parte destacada de estas frases por la estructura verse + participio. Usa las palabras de las etiquetas.**

desbordado/a   rodeado/a   tirado/a   envuelto/a   invadido/a

1. Miles y miles de turistas **han ocupado** la ciudad.

   ▶ *La ciudad se ha visto invadida por...*

2. **Tengo muchísimo trabajo** desde que echaron a mi compañero.

   ▶ ....

3. Iba andando tan tranquilo por la calle y, de repente, **tenía a un montón de gente a mi alrededor**.

   ▶ ....

4. ¡Vaya viajecito he tenido! Se me estropeó el coche y **me quedé ahí** sin poder arrancarlo, en medio de la nada, sin saber qué hacer. Suerte que al rato pasó un coche y me ayudó.

   ▶ ....

5. A mi vecino lo **han implicado** en un robo, pero yo no creo que tenga nada que ver.

   ▶ ....

OBSERVAR EL DISCURSO

LA POSICIÓN DEL ADJETIVO

B.12 Lee esta información sobre la posición del adjetivo en español. ¿Coincide con lo que sucede en tu lengua o en otras que conoces? Coméntalo en clase con tu profesor y tus compañeros.

- En español el adjetivo suele ir después del nombre, pero algunos adjetivos pueden ir antes, dependiendo del registro y del tipo de adjetivo.

- En los registros coloquiales, lo más normal es que vayan después del nombre. Algunos adjetivos, sin embargo, pueden ir antes (**grande**, **bueno/a**, **malo/a**, **antiguo/a**, **pobre**, etc.), y adquirir, en algunos casos, un determinado valor.

grande
*Marta es una **gran amiga**.*

malo/a
*Juan es muy **mal compañero**.*

bueno/a
*No hay nada como una **buena comida** con los amigos.*

antiguo/a
*Mi **antigua compañera** de piso es peruana.*

- Algunos tipos de adjetivos van siempre después del nombre (excepto en lenguaje poético); son los de color, forma, categoría[1] y origen.

*una **nube gris***
una **gris nube*

*un **coche fúnebre***
un **fúnebre coche*

*una **piedra redonda***
una **redonda piedra*

*una **chica italiana***
una **italiana chica*

- En registros formales pueden anteponerse los adjetivos que admiten una gradación y que no clasifican al sustantivo dentro de un tipo o categoría.

Registro coloquial
*Tenía unas **manos arrugadas**.*

Registro formal
*Puso sus **arrugadas manos** sobre la mesa.*

*Tenía **costumbres extrañas**.*

*Tenía **extrañas costumbres**.*

[1] Algunos adjetivos crean categorías al combinarse con ciertos sustantivos y, por ello, no se pueden anteponer (*coche fúnebre*, **fúnebre coche*), pero combinados con otros sustantivos no crean categorías y, por lo tanto, admiten ir antepuestos en lenguaje formal (*una mansión fúnebre* / *una fúnebre mansión*).

B.13 Marca si en estos ejemplos los adjetivos solo describen cualidades de un nombre o si, además, establecen una categoría.

		Describen cualidades	Establecen una categoría
1	Solo consumimos **alimentos frescos**.		
2	Odio los **viajes organizados**.		
3	Iñaki tiene una **manera particular** de hacer las cosas.		
4	Me encanta la **novela histórica**.		
5	El **salario mínimo** apenas ha subido en estos años.		
6	Al entrar en la casa, Ana notó un **olor penetrante**.		
7	El **arte barroco** es mi preferido.		
8	En muchos trabajos te piden **estudios superiores**.		
9	Internet ha favorecido la **internacionalización creciente** de muchos sectores.		
10	Me gusta comprar libros con **tapa dura**.		

B.14 Con los adjetivos que establecían categorías en la actividad anterior, escribe otros ejemplos donde solo describan cualidades y sí se puedan anteponer en un registro formal.

→ *Me encantaba caminar por los acantilados y sentir la* fresca *brisa al atardecer.*

TRABAJAR LA GRAMÁTICA

ORACIONES TEMPORALES

B.15 Si sustituyes por cuando las partes destacadas en negrita de este fragmento del texto, ¿hay algún cambio de significado? Explícalo brevemente.

"La Casa Encendida nos propone *on&on*, una muestra donde la premisa ha sido la creación de arte efímero, piezas que **una vez que** termine la muestra, desaparecerán. Y no solo eso, sino que **cada vez que** el espectador la visite, verá algo diferente."

B.16 Elige en cada frase la opción adecuada: una vez que o cada vez que.

1. **Cada vez que** / **una vez que** veo las fotos que nos sacamos en Madrid, me acuerdo de ti y del increíble fin de semana que pasamos juntos.

2. Este año ha sido muy intenso, no he tenido tiempo para nada. Pero **cada vez que** / **una vez que** terminó el curso, pude dedicar más tiempo a mis aficiones.

3. Se ha hecho un poco tarde. Llámame **cada vez que** / **una vez que** llegues a casa, así me quedo más tranquilo.

4. **Cada vez que** / **una vez que** hierva la verdura, incorpora la carne y deja que se cocine a fuego lento durante diez minutos.

5. No es que no me guste conducir, solo que **cada vez que** / **una vez que** tengo que aparcar el coche, lo paso fatal.

C **ARTE EN LA CALLE**

PREPARAR EL DOCUMENTO

EL ARTE ES ¿BASURA?

c.1 **Lee estas frases célebres sobre qué es el arte. Escoge una, explica lo que quiere decir y di si estás de acuerdo.**

- "El arte es, de todas las mentiras, la menos hipócrita". (Gustave Flaubert)
- "Cada vez que las facultades de los hombres están en su plenitud, deben expresarse con arte". (John Ruskin)
- "El arte es el hombre agregado a la naturaleza". (Vincent van Gogh)
- "El arte es la contemplación del mundo en estado de gracia". (Hermann Hesse)
- "El arte es la expresión de los más profundos pensamientos por el camino más sencillo". (Albert Einstein)
- "El arte es plagiador o revolucionario". (Paul Gauguin)
- "El artista debe ser mezcla de niño, hombre y mujer". (Ernesto Sábato)

ENTENDER EL DOCUMENTO

EL ARTISTA Y SU ARTE

c.2 **Fíjate en las expresiones en negrita de estas frases y trata de decir lo mismo con tus palabras.**

1. "Aquí hay basura pero no me gusta, **demasiado reventada**."

2. "Si yo quiero componer ahí cualquier **movida**, no lo veo, ¿sabes?"

3. "Toda la ropa esa ahí tirada, las diferentes tonalidades de colores que hay a mí ya **me rompe**, eso, ¿sabes?"

TRABAJAR EL LÉXICO

EXPRESIONES

c.3 **La palabra movida suele referirse a algún asunto o situación generalmente problemáticos. Lee estas frases y di qué palabra podrías utilizar en lugar de movida en cada caso.**

1. —¿Sabes si le pasa algo a tu hermano? Está un poco distante conmigo últimamente... ¿Por qué no hablas con él?
   —No, no... Paso de **movidas** raras, tía. No quiero estar en medio, que es mi hermano. Prefiero mantenerme al margen. Habla tú con él.

2. —¿Y Alberto dónde está? Pensaba que vendría. Qué lástima, hace tiempo que no sé nada de él.
   —¿Alberto? Qué va, ese no viene. Yo también hace mucho que no lo veo. Siempre está con sus **movidas** y nunca tiene tiempo para quedar.

3. —¡Vaya **movida** hay en la calle! ¿Qué habrá pasado?
   —Están manifestándose en contra de la reforma educativa que ha propuesto el Gobierno.

4. —Isa cumple 30 años el viernes. ¿Le compramos algo?
   —Sí, podemos comprarle un detallito. Y también podríamos montar alguna **movida** para ese día y celebrarlo, ¿no?

5. —¿Qué le pasa a Mario? Tiene una cara, pobre...
   —Acaba de tener una **movida** con el jefe... Creo que lo van a despedir.

6. —¿Qué es esta **movida** rosa al lado del *sushi*?
   —Es jengibre encurtido. Lo ponen mucho con el *sushi* porque limpia el paladar y así puedes apreciar mejor los sabores.

7. —¿Cómo nos organizamos para ir a la boda? ¿Nos repartimos en coches?
   —Ir en coche es una **movida**. Hay que buscar aparcamiento, los que conduzcan no podrán beber y creo que es un poco difícil llegar... Yo alquilaría un minibús.

C.4 Lee estas conversaciones e indica, para qué sirve la expresión con olé en cada caso.

☐ Quejarse de la cara dura de alguien.

☐ Destacar lo conveniente, beneficiosa y/o positiva que es una circunstancia para alguien.

☐ Expresar admiración por lo que alguien hace.

A

● ¿Sabes qué? Parece que este año se presenta mucha menos gente a las oposiciones para profes de secundaria...

○ ¡Olé! Así tendrás muchas más posibilidades de aprobar y sacar la plaza, ¿no?

● Bueno, no te creas... seguro que, para compensar, las pruebas van a ser mucho más difíciles que otros años.

○ ¡Hija! ¡No seas tan pesimista, por Dios!

B

● ¿En serio llevas tres meses sin ir a clase y le vas a decir al profesor que cambie la fecha del examen final porque te vas de puente a Ibiza y no vas a poder estudiar?

○ Pues sí, ¿qué pasa?

● ¿Que qué pasa? Que ¡olé tus cojones, tío! que hay que tener un poquito más de respeto, ¿no? Eso es lo que pasa... y que tienes un morro que te lo pisas, chaval.

C

● Oye, que me acaba de llamar Sarah. Esta tarde la operan de urgencia.

○ ¡¿En serio?! ¿De qué?

● No sé... de algo del estómago. Y encima, aquí en España no tiene familia...

○ Buff, vaya movida...

● Pues ¿sabes lo que te digo? Que yo esta tarde no voy al curro.

○ ¿Seguro, tío? Que te pueden despedir... Eso no es una falta justificada. Tú no eres un familiar.

● Ya, ya lo sé, pero prefiero mil veces acompañar a Sarah al hospital y estar con ella...

○ ¡Olé tú!

TRABAJAR LA GRAMÁTICA

LO MISMO

C.5 Transforma las frases usando lo mismo.

1. Jaime es un manitas. Sabe instalar grifos, el aire acondicionado e incluso alicatar.

2. Qué raro que Ana no nos haya llamado todavía... ¿Se cree que vamos a llamarla nosotros?

3. Nadie sabe cómo pudo ocurrir un accidente así... Puede que el conductor se distrajera y perdiese el control del vehículo.

4. Antes yo era muy deportista. Participaba en maratones, me iba a nadar por las mañanas a la piscina municipal o me tiraba todo el fin de semana jugando al baloncesto.

5. Me acaban de llamar de la oficina para decirme que quizás tengamos que trabajar también mañana, aunque sea festivo.

6. Ese chico está muy desequilibrado. Te insulta y al rato te está pidiendo perdón...

OBSERVAR EL DISCURSO

REGISTRO ORAL COLOQUIAL

C.6 🔊 2 **Escucha el audio en el que el artista puertorriqueño Alexis Díaz habla sobre su trabajo y escribe qué ideas o experiencias comparte con Francisco de Pájaro.**

C.7 🔊 2 **Escucha de nuevo el audio y trabaja con la transcripción. Localiza alguna de las características propias del registro oral coloquial (argot, repeticiones de palabras, reformulación, etc.) que trabajaste en la actividad C.12 del Libro del alumno.**

DESCRIBIR PINTURA, PINTAR POESÍA

TRABAJAR EL LÉXICO

POEMAS Y CUADROS

D.1 Observa estas imágenes y relaciónalas con alguna de estas palabras que aparecen en los poemas de la p. 28 del Libro del alumno.

- ☐ medio punto (mediopunto)
- ☐ ubre
- ☐ lacayo
- ☐ balaustrada
- ☐ lienzo
- ☐ mortaja
- ☐ ciprés
- ☐ rendija

1

2

3

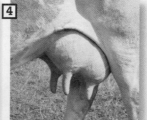
4

5

6

7

8

ACTUAR

CALIGRAMA

D.3 Busca en internet un caligrama del poeta chileno Vicente Huidobro y llévalo a clase para comentarlo con tus compañeros.

OBSERVAR EL DISCURSO

POEMA EN PROSA

D.2 Reescribe el poema de Aníbal Núñez usando tus propias palabras.

Poema 2

Cuando se vayan esos tres lacayos
y cese su tarea misteriosa
—¿qué hace en la balaustrada uno de ellos
desplegando ese lienzo?: pareciera
que pone una mortaja a muertas piedras
como si reclamaran los cipreses
un aire funeral— debo acercarme
a ver por las rendijas de esas tablas.

¿Qué habrá? No sé. La estatua
no esclarece el misterio, nada quiere
saber: es muda piedra. Me imagino
que nada malo habrá tras ese arco
donde la sombra es solo mera ausencia
de la luz otoñal que todo invade.

Aníbal Núñez (*Figura en un paisaje*, 1974)

→ Cuando se vayan esos lacayos y acaben de hacer lo que sea que estén haciendo, me acercaré a mirar por las rendijas de esas tablas.

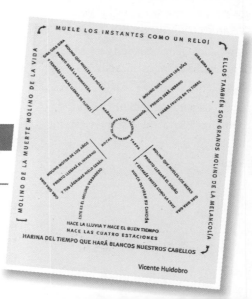

C de consumo

A CONSUMIDORES POR SUS DERECHOS

ENTRAR EN EL TEMA

DENUNCIAS

A.1 Explica estos conceptos con tus propias palabras.

- darse de alta/baja: ....

- publicidad engañosa: ....

- recibir una indemnización: ....

- cubrir los desperfectos: ....

- cláusula de rescisión: ....

- estafar: ....

A.2 Lee las opiniones de los siguientes consumidores y escribe un caso más. Piensa en uno que conozcas o invéntatelo.

A

El año pasado contraté un servicio de televisión por cable con una compañía que me dijo que no tenía que rescindir mi anterior contrato porque ellos se encargaban de darme de baja. Tres meses después de firmarlo, me enteneré de que habían incumplido esa cláusula y que tenía que seguir pagando las facturas de la compañía antigua. Puse una reclamación porque me sentía estafado, pero hasta hoy no he conseguido ningún tipo de indemnización.

B

Firmé un contrato con la compañía que suministra el agua en mi bloque de viviendas sin leer todas las condiciones y al año me enteré de que hay una cláusula abusiva y que hay una denuncia en el juzgado porque el contrato es ilegal. A día de hoy sigo esperando ver cómo se resuelve el asunto.

C

Compré una nevera nueva a través de la página web de una tienda de electrodomésticos. Cuando llegó el aparato (dos semanas más tarde) vi que tenía que abonar un importe que no coincidía con lo que ponía en la página web. Presenté una denuncia por publicidad engañosa, y me devolvieron la diferencia.

D

La compañía de telefonía con la que tenemos contratada internet cambió el tipo de señal y de pronto un día nos quedamos sin conexión. Tardaron tres semanas en proporcionarnos un *router* nuevo, así que pedimos una indemnización por el tiempo que estuvimos sin conexión alegando que no nos habían informado previamente del cambio de señal. Afortunadamente nos la dieron.

E

Los vecinos de arriba hicieron reformas y rompieron una cañería de agua. Se inundó su piso y el nuestro. Menos mal que tenía un seguro a terceros que cubrió todos los desperfectos que causó el agua, porque los gastos finales fueron muy altos. Ahora tenemos muebles nuevos y una moqueta roja muy bonita.

A.3 Traduce estas combinaciones de palabras a tu lengua o a una que conozcas bien.

- **televisión** por cable:

  ....

  ....

- **compañía de** telefonía:

  ....

  ....

- poner **una reclamación**:

  ....

  ....

- **bloque de** viviendas:

  ....

  ....

- **tienda de** electrodomésticos:

  ....

  ....

- **devolver** la diferencia:

  ....

  ....

- presentar **una denuncia**:

  ....

  ....

- quedarse sin **conexión**:

  ....

  ....

- hacer **reformas**:

  ....

  ....

- cañería **de agua**:

  ....

  ....

- **seguro** a terceros:

  ....

  ....

- **causar** desperfectos:

  ....

  ....

A.4 Piensa y busca en internet otras combinaciones frecuentes con las palabras marcadas en negrita en la actividad anterior. Compártelas en clase.

B VIAJES CONDICIONADOS

TRABAJAR EL LÉXICO

CONTRATOS

B.1 Lee la definición que da el DRAE de la palabra contrato. Luego, relaciona los tipos de contrato con las partes que pueden estar implicadas.

> **contrato** (Del lat. *contractus*). **1. m.** Pacto o convenio, oral o escrito, entre partes que se obligan sobre materia o cosa determinada, y a cuyo cumplimiento pueden ser compelidas.
>
> Real Academia Española © Todos los derechos reservados

capitulación matrimonial	1	A — empresa suministradora/cliente (usuario)
apertura de crédito	2	B — acreedor/deudor
hipoteca	3	C — cónyuges
contrato de seguro	4	D — empleador/trabajador
contrato individual de trabajo	5	E — institución crediticia/acreditado
contrato de arrendamiento (alquiler)	6	F — arrendador/arrendatario (inquilino)
contrato de compraventa	7	G — asegurador/asegurado
contrato de suministro	8	H — vendedor/comprador

B.2 ¿Has firmado alguna vez un contrato? ¿De qué tipo? ¿En qué parte has actuado? Resúmelo en dos o tres de frases.

....

....

....

....

VERBOS CON SIGNIFICADOS DIFERENTES

B.3 Traduce a tu lengua estos verbos. Si lo necesitas, consulta el texto de la p. 32 del Libro del alumno y la actividad B.5 de la p. 33.

REGIR(SE)

- regirse por ▶ ....
- regir ▶ ....

CONSTAR
- constar en ▸ ....
  ....
- constar de ▸ ....
  ....
- constar (algo a alguien) ▸ ....

ABONAR(SE)
- abonar (un importe) ▸ ....
- abonar (la tierra) ▸ ....
- abonarse a ▸ ....
  ....

INCORPORAR(SE)
- incorporar a ▸ ....
  ....
- incorporarse a ▸ ....
  ....
- incorporarse (de) ▸ ....

FIGURAR(SE)
- figurar en ▸ ....
  ....
- figurar ▸ ....
  ....
- figurarse ▸ ....
  ....
- figurar entre ▸ ....

COMPROMETER(SE)
- comprometerse a ▸ ....
  ....
- comprometer (algo a alguien) ▸ ....
  ....

CEDER
- ceder (algo a alguien) ▸ ....
- ceder (en algo) ▸ ....
- ceder (por) ▸ ....
- ceder ante ▸ ....

PROCEDER
- proceder a ▸ ....
  ....
- proceder de ▸ ....
  ....

RESPONDER
- responder de ▸ ....
  ....
- responder ante ▸ ....
  ....

DECLINAR
- declinar (= rechazar) ▸ ....
- declinar ▸ ....
  ....

B.4 Completa estas frases con el verbo indicado. Ten en cuenta las diferentes construcciones que puede tener en cada caso según el sentido.

incorporar(se)
1. Todas las escuelas deberían .... su plan curricular la asignatura de Educación Cívica.
2. ¿Tu hermano cuándo .... su nuevo trabajo?
3. Para evitar mareos, hay que .... despacio de la cama.

constar
1. Quiero pedir que .... el contrato la fecha del pago de las arras.
2. El menú .... tres entrantes a elegir, plato principal, postre y café.
3. .... que varios padres y madres se han quejado. Me lo dijo la jefa de estudios.

proceder
1. Cuando terminó el discurso, ... la entrega de premios.
2. Leí un artículo que afirmaba que originariamente los celtas .... Asia. No tenía ni idea.

figurar(se)
1. Creo que Laura y Juan quieren anunciarnos que se casan, así que .... que no sabéis nada.
2. .... que algún día querré tener hijos, pero de momento ni me lo planteo.
3. Esta playa .... las más bonitas de la región.

abonar(se)
1. Para renovar el DNI hay que .... 10 €. Lleva el importe en efectivo porque no aceptan tarjetas.
2. Mi abuelo siempre .... el terreno antes de sembrar. Por eso crecen tan bien las verduras del huerto.
3. Creo que voy a .... Netflix para ver series. No es caro y creo que se puede compartir la cuota.

regir(se)
1. Los medios de comunicación .... la Ley de Prensa y Publicaciones de 1998.
2. Este nuevo tratado .... las relaciones comerciales entre ambos países.

▸▸ Continúa en la página siguiente.

>> *ceder*

1. Siempre me sorprendo cuando, en el metro o autobús, alguien no .... el asiento a una persona mayor.

2. Estuvimos discutiendo un buen rato, pero al final Luisa .... y me dio la razón.

3. Desalojaron el edificio por miedo a que el suelo del segundo piso .... por el peso.

4. El equipo directivo .... las peticiones de los empleados y se firmará un nuevo convenio.

responder

1. No es que hicieras algo gravísimo, pero tienes que .... tus actos y aceptar la penalización.

2. La organización del certamen .... la prensa por la polémica generada.

comprometer(se)

1. Yo .... tener una actitud más relajada si tú intentas ser un poco más organizado.

2. Tienes todo el derecho a decir lo que piensas en la reunión, pero no nos .... a nosotros. Habla por ti.

declinar(se)

1. El futbolista .... hacer declaraciones después de la derrota.

2. Sé que en alemán, latín y griego las palabras ...., pero no sé si en otras lenguas también.

PALABRAS DERIVADAS

B.5 Escribe los verbos correspondientes a estos sustantivos.

Sustantivo	Verbo	Sustantivo	Verbo	Sustantivo	Verbo
celebración →		pago →		ejecución →	
acuerdo →		aplicación →		existencia →	
variación →		reembolso →		conocimiento →	
revisión →		devolución →		consentimiento →	
sustitución →		obligación →		indicación →	
inscripción →		incumplimiento →			

B.6 Transforma las siguientes frases sustituyendo la palabra marcada en negrita por el verbo correspondiente. Haz las modificaciones necesarias.

1. La **celebración** del sorteo de las plazas vacantes para el crucero a los fiordos noruegos tendrá lugar el 6 de mayo.

....

2. Cualquier **variación** del precio de los elementos sobre los que se calcula el precio del viaje podrá dar lugar a la revisión del coste final de este.

....

3. El precio del viaje combinado incluye el alojamiento en el establecimiento y régimen alimenticio que figura en el contrato o en otros similares en caso de **sustitución**.

....

....

4. En el acto de la **inscripción**, la agencia podrá requerir un anticipo, y expedirá el correspondiente recibo.

....

5. En el caso de que no se proceda al **pago** del precio total del viaje en las condiciones señaladas, se entenderá que el consumidor desiste del viaje solicitado.

....

....

6. La vigente legislación establece solo la **existencia** de habitaciones individuales o dobles.

....

7. El usuario tendrá derecho al **reembolso** del total del precio o de las cantidades anticipadas.

......

8. En todo momento el usuario o consumidor puede desistir de los servicios contratados, teniendo derecho a la **devolución** de las cantidades que hubiera abonado.

......

......

9. No existirá **obligación** de indemnizar en caso de imprudencia por parte del contratante.

......

10. El consumidor está obligado a comunicar en persona todo **incumplimiento** del contrato.

......

11. Podrá habilitarse una tercera cama siempre que la utilización de esta sea con el **conocimiento** y **consentimiento** de las personas que ocupan la habitación.

......

12. Los desplazamientos se realizarán en minibús, monovolumen o similar, salvo **indicación** expresa.

......

IR DE VIAJE

B.7 Lee de nuevo el texto de la p. 32 y busca palabras y expresiones relacionadas con estas cuatro categorías: alojamiento, transporte, documentación y pago/precio. Puedes traducir a tu lengua las que te interese recordar o buscar ejemplos de uso en internet.

ALOJAMIENTO

TRANSPORTE

DOCUMENTACIÓN

PAGO/PRECIO

TRABAJAR LA GRAMÁTICA

CONDICIONES

B.8 Escribe en las explicaciones la letra correspondiente a cada ejemplo.

1. **a.** No saldremos salvo que el viento supere los 60 km/hora.
   b. No saldremos en el caso de que el viento supere los 60 km/hora.
   • En ...... saldrán si el viento es de 70 km/hora; en ...... no saldrán si es de 70 km/hora.

2. **a.** De ir a tu casa este sábado, os haría una paella.
   b. Con tal de ir a tu casa este sábado, os haría una paella.
   • En ...... me apetece hacer una paella; en ...... no me apetece.

3. **a.** Pueden pedir café en el caso de que no pidan postre.
   b. Pueden pedir café siempre y cuando no pidan postre.
   • En ...... el camarero ofrece a los clientes la posibilidad de tomar postre o café; en ...... el camarero advierte a los clientes de que solo pueden pedir café si no toman postre.

4. **a.** El cliente tendrá derecho a una indemnización a no ser que desista del viaje durante las dos semanas previas a la fecha de salida.
   b. El cliente tendrá derecho a una indemnización siempre que desista del viaje durante las dos semanas previas a la fecha de salida.
   • En ...... durante las dos semanas previas a la fecha de salida es posible desistir del viaje y recibir una indemnización; en ...... el cliente no recibirá indemnización si desiste del viaje durante las dos semanas previas a la fecha de salida del viaje.

B.9 Responde a estas preguntas.

1. ¿Qué harías **con tal de conocer** a tu cantante o grupo de música favorito?

....

....

2. **A menos que tu salud te lo impida**, ¿qué piensas hacer en tu vejez?

....

....

3. **De poder ganar** un premio, ¿cuál elegirías?

....

....

B.10 Fíjate en las formas resaltadas de los siguientes fragmentos. ¿Para qué sirve el gerundio en cada caso?

1. En todo momento el usuario o consumidor puede desistir de los servicios solicitados o contratados, **teniendo** derecho a la devolución de las cantidades que hubiera abonado.

2. El consumidor del viaje combinado podrá ceder su reserva a una tercera persona, **comunicándolo** por escrito con un mínimo de quince días de antelación a la fecha de inicio del viaje.

☐ Indica cómo se ha de hacer algo.

☐ Introduce la consecuencia de una acción.

¡atención!

Generalmente, se considera incorrecto el uso del gerundio para expresar una relación de posterioridad. En esos casos, se recomienda usar una construcción coordinada con **y**.

B.11 Lee estos fragmentos y trata de decir lo mismo sin usar el gerundio.

A En el acto de la inscripción, la Agencia podrá requerir un anticipo, **expidiendo** el correspondiente recibo.

B El cliente tendrá derecho de cancelación de sus datos mediante solicitud escrita dirigida al responsable del fichero, **indicando** su nombre, apellidos y clave de cliente, y **adjuntando** fotocopia del DNI.

C El Mantenimiento cubre la reparación de las averías que se produzcan en la red como consecuencia de su uso ordinario, **quedando** incluidos los gastos de mano de obra, los materiales y los componentes necesarios para la reparación.

¿EN QUÉ LE PUEDO AYUDAR?

TRABAJAR EL LÉXICO

DECIR

C.1 Observa estas expresiones y combinaciones frecuentes con el verbo decir e indica cuáles significan decir de verdad (1) y cuáles decir claro (2). Deja sin marcar las que significan otra cosa.

1. Lo más sensato es que hables con tu jefe y le **digas abiertamente** que te interesa el puesto de responsable de proyecto. ☐

2. Ya sé que puede resultar incómodo hablar de dinero, pero es tu hermana. **Dile sin rodeos** que necesitas el dinero que le prestaste. Lo entenderá. ☐

3. A Sole le sentó mal lo que hice, pero me lo **dijo a la cara** y lo solucionamos. ☐

4. A mí lo que me molesta es que la gente opine y **diga** cosas sin **conocimiento de causa**. Si vas a hablar sobre un tema tan serio, infórmate. ☐

5. Durante la conferencia, Lisa me iba **diciendo** cosas **entre dientes** y eso me incomodó muchísimo. La gente no entendía lo que me estaba diciendo, pero se la oía murmurar todo el tiempo. ☐

6. Javier me dio la razón, pero me lo **dijo con retintín**, así que no creo que lo piense de verdad. ☐

7. Mateo dijo **lisa y llanamente** lo que todos estábamos pensando. ☐

8. A ver, te lo **he dicho por activa y por pasiva**. No me interesa comprarte el coche. No insistas más. ☐

9. Félix te lo dijo **de todo corazón**. Estoy segura de que no estaba mintiendo. ☐

10. Debería haber protestado, pero en ese momento no me salió. Ahora, **a toro pasado**, no tiene sentido **decir** nada. ☐

C.2 Escribe en tu cuaderno frases con las expresiones de la actividad anterior que no has marcado. Puedes buscar su significado o ejemplos de uso en internet.

C.3 Lee estas frases del vídeo con el verbo decir y relaciónalas con su significado.

1. Sí, **dígame**.

2. ¿Llegas mañana? **¡No me digas!** No te esperábamos hasta el viernes.

3. Venga, te ayudo. **Que no se diga** que no pongo todo de mi parte.

☐ Denota sorpresa.

☐ Se usa para animarse o animar a alguien a hacer algo.

☐ Se usa para responder al teléfono o atender a alguien en una oficina o establecimiento.

C.4 Lee estas frases y trata de reformularlas sin usar la expresión destacada.

1. —¿Cuántos años tiene tu abuela?
   —71.
   —¿En serio? Pues **cualquiera lo diría**. Parece mucho más joven.

2. Este pantalón no te sienta muy bien **que digamos**. Pruébate otro a ver si te queda mejor.

3. Se preocupa más por **el qué dirán** que por lo que de verdad importa.

4. —¡Uf! Qué aburrida la conferencia...
   —**Y que lo digas**. Me ha faltado poco para quedarme dormido.

5. Ya está bien de quejarse todo el rato del hotel. Os pregunté y a todos os pareció bien. La próxima vez que lo busque otro. **He dicho**.

6. ¿No es más fácil quedar en la puerta del restaurante en vez de en este sitio y luego en el otro, etc.? **Digo**.

7. **No digo nada**, pero ya son las 17 h y el tren sale a las 18 h...

8. Dijeron que había unas 80 000 personas en el concierto, **que se dice pronto**.

TRABAJAR LA GRAMÁTICA

SIQUIERA

C.5 Sustituye siquiera o ni siquiera por aunque, ni tan solo o al menos.

1. No pienso aceptar su oferta. **Ni siquiera** me lo planteo.

2. ¿Cuál es el plan para mañana? ¿Sabemos **siquiera** a qué restaurante vamos a ir?

3. Cayetana está un poco dolida porque casi nadie se ha acordado de su cumpleaños. **Ni siquiera** su hermana.

4. Si no fuera por la tecnología electrónica probablemente nuestra revista **ni siquiera** existiría.

5. Voy a pedir un par de días libres en el trabajo, a ver si me dan **siquiera** uno.

6. Deberías ir a visitar al abuelo, **siquiera** sea un ratito. Se alegrará.

SI INDEPENDIENTE

C.6 Las frases con si independiente son reacciones a formulaciones previas (propuestas, comentarios, etc.). Reacciona escribiendo una frase que empiece con (pero) si.

1. Para tu cumpleaños he reservado mesa en un restaurante japonés, que sé que te encanta.
   → *Si a mí no me gusta la comida japonesa...*

2. Mamá, ¿me das 20 € para ir al cine?

3. Hay que comprar leche, que ya no queda.

4. Me he comprado un libro que me apetecía leer desde hace tiempo: *La verdad sobre el caso Savolta*, de Mendoza.

Eduardo Mendoza
La verdad sobre el caso Savolta

HABER DE + INFINITIVO

C.7 Transforma las siguientes frases sin usar haber de + infinitivo. ¿En todos los casos expresa obligación?

1. La libertad es hoy entre nosotros solo una pasión que, poco a poco, **habrá de** convertirse en pensamiento.

2. **Hemos de llegar** al aeropuerto dos horas antes de que salga el avión.

3. El método de selección **ha de** ser de una transparencia absoluta.

4. El escritor introdujo en la novela tres temas cuya interpretación completa **habría de** ocupar casi un libro.

5. ¿Quién **habría de** pensar que el reformista y moralizador que conocemos iba a producir un libro cuya interpretación desafía las leyes de la ética convencional?

OBSERVAR EL DISCURSO

RECLAMACIÓN

C.8 Transforma las situaciones siguientes a partir de lo que decía el contrato. Utiliza estructuras como de + infinitivo perfecto (De haberlo hecho antes, ahora…) o si + pluscuamperfecto de subjuntivo (Si lo hubiese hecho, ahora…).

¿Qué decía el contrato?	¿Qué hizo el cliente?
1 Las facturas no abonadas en su totalidad en las fechas previstas por causas no imputables al Comercializador tendrán la consideración de deuda.	No pagó a tiempo una factura y ahora tiene que pagar además intereses de demora.
2 El cliente podrá comunicar al Comercializador su decisión de rescindir el contrato por escrito dentro de un plazo de diez días.	Llamó por teléfono para cancelar el contrato el último día del plazo, y la carta al día siguiente; su contrato sigue en vigor.
3 El cliente tendrá derecho a conservar su número telefónico cuando cambie de operador, siempre que no haya modificación de ubicación física.	Cambió de compañía telefónica cuando cambió de domicilio y pidió mantener el número, pero no se lo concedieron.
4 Queda prohibido el uso de la vivienda o de una parte de la misma por parte del arrendatario con fines comerciales.	El inquilino montó en su piso una peluquería, poniendo un cartel en la puerta. La propietaria quiere que se vaya.
5 El arrendatario y sus coinquilinos, visitantes, etc., deberán respetar el horario de descanso estipulado de 13:00 a 15:00 h y de 22:00 a 07:00 h.	El inquilino dejó el piso a un amigo, quien hizo tres fiestas que duraron hasta las 2 de la mañana. Ahora debe dejar el piso.
6 El arrendatario deberá indicar por escrito al entrar en la vivienda cualquier daño que encuentre en los espacios alquilados y comunes.	Había un espejo roto pero el inquilino no se lo dijo al propietario. Ahora el propietario no le quiere devolver la fianza.

1.
2.
3.
4.
5.
6.

C.9 Ordena los párrafos de esta carta.

Lo único que pretendo es que ustedes se hagan cargo de los gastos que me está ocasionando esta enfermedad, no reclamo ningún tipo de indemnización. Los medicamentos son bastante caros y el seguro no los cubre. Les envío una copia de los análisis del médico y de las facturas. ☐

Sevilla, 12 de diciembre de 2017 ☐

En el folleto que me presentaron ustedes en Barcelona ponía que los hoteles "disponían de todo tipo de comodidades" y que el seguro cubría todos los gastos en caso de enfermedad. Pregunté en la agencia si en efecto todos tenían calefacción, porque sufro de reumatismo y tengo que dormir en habitaciones calientes. Su agencia me aseguró que no habría ningún problema. Sin embargo, al llegar a Granada, el hotel carecía de calefacción. Tuve que dormir dos días muerto de frío, y empecé a sentir dolores en la espalda. Más tarde, en Las Alpujarras, la situación se agravó, ya que dormimos en un hotelito de un pueblo perdido que yo creo que nunca ha oído nombrar la palabra calefacción. El dolor se hizo insoportable, así que tuve que suspender el viaje, aunque los problemas no acabaron allí, porque el pueblo no tenía taxis, y al final tuve que esperar dos días y salir con todo el grupo. ☐

[firma]
Federico Lara Rojo ☐

El pasado mes hice un viaje por Andalucía, organizado por su agencia, del que no quedé muy satisfecho, pues me produjo un serio problema de salud. He consultado a mi abogado y me recomienda que, antes de iniciar cualquier trámite, hable con ustedes. Por eso les escribo. ☐

Viajes Marsans
Sr. Director
Av. de Cristóbal Colón, 35, 2º 2ª
08010 Barcelona ☐

Quiero decirle que me parece una falta de seriedad enorme que no dispongan de algún sistema de emergencia para casos como el mío. No es normal que si un viajero quiere suspender su viaje, tenga que esperar dos días al grupo del que precisamente pretende alejarse. Me parece una verdadera falta de confianza. ☐

Federico Lara Rojo
Pl. Constitución 1, 3ºC
Sevilla ☑ 1

Quiero insistir en que actúo por consejo de mi abogado. Si este sistema no tiene el efecto deseado, no dude de que recurriré a los tribunales. ☐

Estimado señor: ☐

Esperando su respuesta, le saluda cordialmente. ☐

C.10 Lee estas situaciones conflictivas, elige una y escribe una reclamación.

COMPRA DE UNA LAVADORA

Has comprado una lavadora de segunda mano y no estás muy contento/a con el servicio:

— la lavadora que te han traído no es la que elegiste;

— el transportista no se ha llevado la lavadora vieja, como prometieron;

— has tenido que llamar a un fontanero para que conectara el aparato aunque ese gasto estaba incluido;

— la lavadora tiene mucha cal por dentro y hace mucho ruido;

— nadie responde en el número de atención al cliente.

UN PISO DE VACACIONES

Has alquilado un apartamento de vacaciones a través de una página web, pero no todo es perfecto:

— no hay sábanas ni toallas, aunque en la página web decía que sí;

— la cocina huele muy mal y algunos fogones no se pueden usar;

— las ventanas dan a un patio y no a la calle, como aparece en el anuncio de la página web;

— no hay nadie con quien puedas hablar.

TELEFONÍA MÓVIL

Tienes un contrato de móvil que no es muy fiable:

— cada pocos días pierdes la conexión durante un par de horas;

— los precios de los SMS han cambiado y no has recibido notificación;

— ya no puedes acceder a tu factura a través de la página web de la compañía;

— ha bajado la capacidad de conexión a internet;

— has llamado cinco veces pero no has podido hablar con nadie.

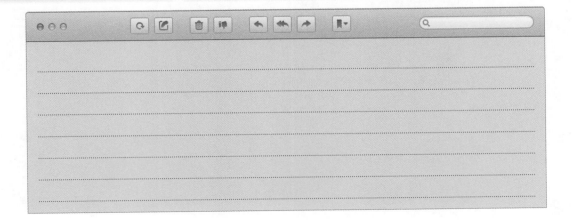

D CREMAS ANTIARRUGAS

TRABAJAR EL LÉXICO

PALABRAS Y EXPRESIONES

D.1 Escribe frases con estas colocaciones.

- gastar(se) un dineral:

- cumplir (una) promesa:

- medir los efectos (de algo):

- dar resultado:

- dar sensación de:

- demostrar (la) eficacia:

- ejercer un efecto:

CARACTERÍSTICAS Y EFECTOS

D.2 ¿Qué características puede tener una crema hidratante? Busca en el texto de la p. 38 y en la actividad D.1 del Libro del alumno algunas características y escríbelas. ¿Se te ocurren otras?

- Tener una textura agradable.
- Absorberse rápidamente.

D.3 ¿Qué efectos persiguen las cremas antiarrugas? Aquí tienes cuatro efectos que describe el artículo. Añade dos efectos deseables más y cuatro efectos no deseables.

EFECTOS DESEABLES
- reducir arrugas
- quitar las arrugas
- hidratar la piel
- mejorar el aspecto del cutis

EFECTOS NO DESEABLES

D de datos

A POLÉMICA EN LAS REDES

ENTRAR EN EL TEMA

ESTADÍSTICAS

A.1 Lee estas frases y, observando los gráficos de la p. 41 de Libro del alumno, di a qué edición de Wikipedia o a qué lengua se refieren.

1. Esta edición de la Wikipedia tiene **cerca del** 3 % de visitas. ❯ ....

2. Esta edición recibe **casi la mitad de** visitas que la edición alemana. ❯ ....

3. Seis ediciones que **están por debajo del** 1 % de visitas. ❯ ....

4. **Supera ligeramente** los dos millones de artículos publicados. ❯ ....

5. La cifra de artículos publicados en esa lengua **está por encima de** los cinco millones. ❯ ....

6. Estas dos lenguas no **alcanzan** el millón de artículos publicados. ❯ ....

7. **Roza** el millón de artículos publicados. ❯ ....

8. En esta lengua existen **algo más de** un millón trescientos mil artículos. ❯ ....

A.2 Escribe cinco frases más usando alguno de los recursos marcados en negrita en la actividad anterior.

- ....
- ....
- ....
- ....
- ....

A.3 Observa de nuevo la tabla comparativa de los artículos más polémicos en Wikipedia y di si estas frases son verdaderas (V) o falsas (F).

ARTÍCULOS MÁS POLÉMICOS EN WIKIPEDIA									
EUROAMERICANAS				CENTROEUROPEAS			ORIENTE PRÓXIMO		
en	de	fr	es	cs	hu	ro	ar	fa	he
Israel ●			●	●			●	●	●
Hitler ●	●				●			●	●
Holocausto			●	●	●			●	●
Dios ●			●		●				●
Ateísmo ●	●			●	●				●
Europa		●				●	●		
Evolución ●									●
Jesús ●	●	●	●	●			●		
Islam ●	●						●	●	●
Mahoma ●	●						●		
Testigos de Jehová ●		●	●	●					
Calentamiento global ●	●	●		●					
Google		●		●	●	●			
Homeopatía ●	●	●		●					

Fuente: *The most controversial topics in Wikipedia: A multilingual and geographical analysis*, Scarecrow Press, 2014

1. El tema del holocausto provoca una notable polémica en la edición en español **en contraste con** la edición inglesa o alemana. ☐

2. **Al contrario de** lo que pasa con los artículos sobre Jesús en Europa, en Oriente Próximo este tema no genera polémica. ☐

3. En la versión húngara, **a diferencia de** lo que pasa en la checa, el ateísmo levanta polémica. ☐

4. Israel, **por un lado**, y el islam, **por otro**, son los dos temas más polémicos en las ediciones de Oriente Próximo. ☐

5. **Coincide que** el calentamiento global y la homeopatía son los temas que más polémica causan en las ediciones euroamericanas. ☐

¿REDACCIÓN O MANIPULACIÓN?

TRABAJAR EL LÉXICO

SE CALUMNIA, SE COARTA, SE GENERA

B.1 Escribe siete frases relacionadas con el tema del texto "Wikiguerras. Pelear hasta por los pokemon" con alguno de estos sustantivos o un verbo o adjetivo derivados de ellos.

análisis   transferencia   votación
disposición   sistematización
incorporación   (des)autorización
introducción   corrección
gestión   colaboración   manejo
modificación

1. ....

2. ....

3. ....

4. ....

5. ....

6. ....

7. ....

B.2 Aquí tienes un fragmento de una entrevista con un wikipedista. Elige la opción correcta en la tabla de respuestas.

ENTREVISTA A JORGE SIERRA. DIRECTOR DE WIKIMEDIA ESPAÑA

Hoy hablamos con Jorge Sierra, director de Wikimedia España, fundación encargada de la gestión de Wikipedia España.

¿Qué hace a Wikipedia la enciclopedia electrónica por excelencia?

Hay varias claves para entender el éxito de Wikipedia: en primer lugar, es una enciclopedia libre, es decir, que todo el mundo puede colaborar y .... 1 .... con sus contenidos. Por otro lado, es muy fácil de usar y de .... 2 .... a la información. Por último, su actualización es realmente eficiente, de tal modo que con frecuencia es uno de los primeros sitios de internet en .... 3 ...., siempre gratuitamente, información enciclopédica actualizada y veraz. Por todo ello, supone un .... 4 .... importante no solo frente a las enciclopedias tradicionales en papel, sino también respecto a otras enciclopedias electrónicas.

¿Cómo es la organización de Wikipedia por dentro?

Wikipedia es, ... 5 ...., una comunidad de usuarios: lectores, editores, correctores, bibliotecarios... Es una comunidad libre, altruista y abierta al estilo de las del *software* libre, que han producido sistemas tan importantes como GNU/Linux. Todas las .... 6 .... en Wikipedia se toman por .... 7 .... y son discutidas y argumentadas por los miembros de la comunidad que lo deseen. Cualquier usuario registrado con al menos 100 contribuciones (que son muy rápidas y sencillas de realizar) y un mes de antigüedad puede .... 8 .... con pleno derecho en todos los mecanismos internos de Wikipedia.

Algunos usuarios, normalmente más veteranos y buenos conocedores de las "políticas" de Wikipedia (sus normas de funcionamiento), tienen la .... 9 .... de ser "bibliotecarios", es decir, usuarios que pueden borrar o proteger artículos, así como .... 10 .... a usuarios vandálicos. En Wikipedia en español somos actualmente 2.972.383 usuarios registrados, de los cuales solo 86 son bibliotecarios. Sin embargo, no es ningún premio: es un servicio y una responsabilidad que, como el resto de trabajo en Wikipedia, se realiza siempre voluntaria y altruistamente.

¿Qué tendría que hacer alguien para poder escribir artículos en Wikipedia?

Simplemente tener información veraz, referenciada y enciclopédica y añadirla. Cada artículo tiene en la parte superior una pestaña llamada "Editar" que permite acceder directamente al contenido de la página para .... 11 ....

Conviene conocer qué es Wikipedia y qué no es, especialmente los "cinco pilares", las normas básicas del proyecto, que son de .... 12 .... común: es una enciclopedia que busca el punto de vista neutro, de contenido libre y en la que .... 13 .... unas sencillas normas de etiqueta. Todo el resto de normas son consensuadas por la comunidad.

¿Qué diría a los críticos que afirman que la información que .... 14 .... Wikipedia no es fiable?

No se puede hacer una afirmación tan .... 15 .... (ni a favor ni en contra) de todo el proyecto en global. Yo soy de la opinión de que cada artículo de Wikipedia se debe evaluar por sí mismo: su extensión, redacción, claridad, neutralidad y, especialmente, sus fuentes y referencias. En un artículo enciclopédico no puedo hacer afirmaciones "al viento", cada una de ellas tiene

que estar .... 16 .... en una fuente de confianza: artículos y publicaciones científicas, monografías, artículos periodísticos de calidad.

¿En qué consiste el trabajo de redactor?

En Wikipedia se pueden hacer muchos trabajos, todos ellos muy útiles: corregir errores, revisar ortografía, monitorizar los cambios que .... 17 .... y, naturalmente, redactar artículos nuevos y mejorar los existentes. Es un trabajo sacrificado, puesto que siempre se puede mejorar y actualizar la información que se ofrece, casi en tiempo .... 18 ....

Además de las tareas de bibliotecario, que son básicamente de mantenimiento, como hemos explicado, suelo crear artículos nuevos, en muchas disciplinas, según el tiempo libre de que .... 19 .... Es un ejercicio muy interesante (frecuentemente se dice que "Wikipedia .... 20 ...."), en el que aprendes muchísimo y que, además, tiene una utilidad inmediata.

Fuente: *www.reporterospucelanos.blogspot.de*

1	a. enriquecerse	b. hacerse rico	c. ahorrar
2	a. gestionar	b. acceder	c. impedir
3	a. generar	b. restituir	c. ofrecer
4	a. avance	b. desvío	c. adelantamiento
5	a. ante todo	b. por delante	c. antes
6	a. polémicas	b. decisiones	c. informaciones
7	a. consenso	b. derecho	c. suerte
8	a. proponer	b. ajustar	c. participar
9	a. candidatura	b. iniciativa	c. responsabilidad
10	a. eludir	b. bloquear	c. aniquilar

11	a. manejarla	b. modificarla	c. sesgarla
12	a. uso	b. bien	c. sentido
13	a. se respetan	b. se suscitan	c. se calumnian
14	a. alimenta	b. aporta	c. incentiva
15	a. insulsa	b. masiva	c. categórica
16	a. añadida	b. completada	c. basada
17	a. se tienen	b. se desatan	c. se producen
18	a. veraz	b. actual	c. real
19	a. disponga	b. tenga	c. establezca
20	a. amarga	b. desgasta	c. engancha

B.3 Fíjate en la palabra destacada en cada frase y tacha la opción que no la puede sustituir.

1. Tratan **machaconamente** de introducir su criterio.
   a. ~~malintencionadamente~~
   b. insistentemente
   c. repetidamente

2. Esa información **incorrecta** desapareció para volver a ser introducida insistentemente un minuto después.
   a. errónea
   b. errada
   c. inconveniente

3. ¿Y si, sencillamente, se crea un artículo que es **una memez**?
   a. una estupidez
   b. un absurdo
   c. una genialidad

4. [Los bibliotecarios] tienen capacidad para, previa votación entre los wikipedistas, eliminar un artículo si es falso, **tendencioso** o insulso.
   a. partidario
   b. partidista
   c. parcial

5. [Los bibliotecarios] tienen capacidad para, previa votación entre los wikipedistas, eliminar un artículo si es falso, tendencioso o **insulso**.
   a. aburrido
   b. insustancial
   c. improcedente

6. En España es el fútbol el que excita **la algarada**.
   a. el alboroto
   b. la discusión
   c. el tumulto

7. No faltan las interminables confrontaciones intelectuales que **tanta zozobra** crean en el lector.
   a. tanto cansancio
   b. tanta ansiedad
   c. tanta inquietud

8. [Los bibliotecarios] pueden mediar en **las confrontaciones** de afirmaciones, negaciones y reversiones.
   a. los enfrentamientos
   b. las comparaciones
   c. los desacuerdos

9. Existe una serie de herramientas informáticas que detectan automáticamente intentos de vandalismo, como ocurre en el caso de los insultos y **las descalificaciones**.
   a. las mentiras
   b. la desautorización
   c. el descrédito

10. Los editores deciden intervenir bloqueando o protegiendo un artículo para evitar **agresiones**.
    a. ataques
    b. alusiones
    c. acometidas

B.4 Relaciona cada palabra con su significado.

calumnia — 1

plagio — 2

tratamiento — 3

acceso — 4

modificación — 5

revisión — 6

procesamiento — 7

A — Posibilidad de entrada o paso a un nuevo espacio, real o virtual. También el lugar por el que se ejerce esa posibilidad.

B — Acusación falsa, hecha maliciosamente para causar daño.

C — Modo de trabajar ciertas materias para su transformación.

D — Forma ilícita de copia de una obra ajena.

E — Acción de someter algo a examen para corregirlo, cambiarlo o repararlo.

F — Cambio, transformación de la forma de algo o de sus efectos.

G — Acción de someter datos o materiales a una serie de operaciones programadas.

TRABAJAR LA GRAMÁTICA

¿PARA QUÉ?

B.5 Transforma estos fragmentos del artículo utilizando otro conector para expresar finalidad. Usa uno diferente en cada frase.

1. "**Para saber** qué grado de reversiones y modificaciones tiene una página, un equipo de investigadores de diferentes universidades estadounidenses ha desarrollado una herramienta."

2. "A la aseguradora Mapfre también le tuvieron que llamar la atención los responsables de Wikipedia **para que dejara** de intervenir en su propia página."

3. "A veces, cuando el conflicto es muy elevado, se bloquea la página total o parcialmente, **de modo que** solo la **puedan** modificar los usuarios autorizados por la comunidad."

Conectores para expresar finalidad

- Neutros:
  – **para** + infinitivo
  – **para que** + subjuntivo

- Neutros formales:
  – **con el objeto de**, **a fin de**, **con el propósito de**, **con la intención de** + infinitivo
  – **con el objeto de que**, **a fin de que**, **con el propósito de que**, **con la intención de que** + subjuntivo

- Con verbos de movimiento (**ir**, **venir**, **parar**, **llevar**, **traer**, **pasar**, etc.) o de influencia (**animar**, **obligar**, **instar**, **invitar**, etc.):
  – verbo + **a** + infinitivo
  – verbo + **a que** + subjuntivo

- Con valor consecutivo y formales:
  – **de modo que**, **de manera que** + subjuntivo

- Presentan un peligro que se desea evitar:
  – **no sea/fuera que**, **no vaya/fuera a ser que** + subjuntivo

B.6 Transforma las siguientes frases usando algún conector de finalidad. Intenta no repetir ninguno.

1. La mayoría de los blogueros crean sus blogs **para** entretener.
   → *La mayoría de la gente que crea un blog lo hace con la intención de entretener.*

2. Los gobiernos deberían recaudar impuestos únicamente **para** cubrir los gastos públicos.

3. El gobierno, en tiempo de paz, puede movilizar el ejército **para** ayudar a los civiles en caso de emergencia.

4. Las autoridades sanitarias implantan protocolos de vacunación **para** prevenir, controlar, erradicar y curar enfermedades.

5. Las escuelas usan los exámenes **para** certificar el nivel de conocimiento adquirido.

B.7 Escribe frases explicando cuál es la finalidad de estas cosas. Trata de usar un conector diferente en cada caso.

una beca de estudios   dispositivos de videovigilancia   una revisión médica rutinaria

una campaña electoral   los controles de calidad de juguetes infantiles

1.
2.
3.
4.
5.

OBSERVAR EL DISCURSO

MANIPULAR INFORMACIÓN

B.8 En los siguientes casos se plantean dos versiones del mismo hecho. Marca en la versión B las diferencias que cambian el sentido de la frase original (A), como en el ejemplo.

1. Fragmento de un artículo sobre la homeopatía	
A. La homeopatía carece de plausibilidad biológica y sus axiomas contradicen hechos científicos. →	**B**. Aunque la homeopatía adolece de cierta base biológica, sus axiomas no contradicen estrictamente hechos científicos.
2. Fragmento de un artículo sobre una plataforma que defiende a afectados por desahucios	
A. La plataforma agrupa a personas con dificultades para pagar la hipoteca y personas solidarias con esta problemática. →	**B**. La plataforma recluta a personas con dificultades para pagar la hipoteca entre las que se mezclan colaboradores con intereses no declarados.
3. Fragmento de un artículo sobre un pueblo sin estado soberano	
A. Es la minoría étnica más grande de Medio Oriente que no se encuentra establecida en alguna forma de Estado nación. →	**B**. Es la minoría étnica más grande de Medio Oriente que reclama su derecho a alguna forma de Estado nación.
4. Fragmento de un artículo sobre las causas de la crisis de 2008-2015	
A. Posteriormente, y a pesar de que los gobiernos realizaron numerosos rescates financieros para ayudar a empresas financieras y no financieras contra una posible quiebra, la crisis acabó generando también una crisis de deuda en diferentes países, algunos de ellos de la eurozona. →	**B**. Posteriormente, debido a que los gobiernos tuvieron que realizar numerosos rescates financieros para salvar a empresas financieras y no financieras de una probable quiebra, la crisis acabó convirtiéndose también en crisis de deuda soberana en diferentes países, especialmente en los de la eurozona.
5. Titular de periódico después de un partido de fútbol entre el Boca y el River (equipos argentinos rivales)	
A. River volvió a presentar batalla, pero quedó más lejos de la punta. →	**B**. River volvió a intentar presentar batalla pero quedó más lejos de la punta.
6. Titular de periódico después de una subida en el precio de la electricidad	
A. La subida de las tarifas muestra cómo la liberalización ha beneficiado al sector. →	**B**. La subida de las tarifas demuestra que la liberalización solo ha beneficiado al oligopolio eléctrico.

B.9 Trata de explicar cuál es el efecto que producen los cambios que has identificado en la actividad anterior. Luego, ponlo en común en clase.

B.10 Busca un fragmento de una noticia o de un titular en español y cópialo. Luego, manipúlalo, como en los ejemplos anteriores. Ten en cuenta la intención con la que lo haces.

→

B.11 Aquí tienes un caso que se presenta en el artículo original "Wikiguerras. Pelear hasta por los pokemon".
Léelo y explica por qué era tan importante la palabra legítimo en ese caso. Busca información en internet.

La Guerra Civil aún en el candelero

[legitimidad]

Este capítulo de la historia de España sigue dando guerra. El 13 de junio pasado, en la frase "El bando republicano estuvo constituido en torno al Gobierno legítimo de España" la palabra "legítimo" se puso y se quitó varias veces.

B.12 Escribe un texto de opinión para una revista *online* sobre Wikipedia.
Las siguientes preguntas te servirán de ayuda.

- ¿Es equivalente Wikipedia a una enciclopedia de papel?
- ¿Son fiables los contenidos de los artículos?
- ¿Deben las universidades aceptar Wikipedia como fuente de información válida?
- ¿Cómo se vería afectado el concepto de autoridad en el mundo académico?
  ¿Y el de objetividad?

C PROTEGIENDO TUS DATOS

TRABAJAR EL LÉXICO

DATOS PERSONALES

C.1 Observa este artículo de una ley en el que se define un término jurídico. Trata de explicarlo con tus palabras, sin usar las palabras subrayadas. Haz las modificaciones necesarias.

> **Artículo 5°. Datos sensibles.** Para los propósitos de la presente ley, se entiende por datos sensibles aquellos que afectan la intimidad del Titular o cuyo uso indebido puede generar su discriminación, tales como aquellos que revelen el origen racial o étnico, la orientación política, las convicciones religiosas o filosóficas, la pertenencia a sindicatos, organizaciones sociales, de derechos humanos o que promueva intereses de cualquier partido político o que garanticen los derechos y garantías de partidos políticos de oposición así como los datos relativos a la salud, a la vida sexual y los datos biométricos.

Fuente: *www.alcaldiabogota.gov.co*

LEYES

C.2 Busca información sobre tu país en internet y piensa un ejemplo concreto para cada caso. Trata de explicar brevemente en qué consiste cada ley.

- ¿Hay alguna ley que vaya a entrar en vigor en los próximos meses?

- ¿Cuál ha sido la última ley importante que se ha aprobado? ¿Qué ha motivado esta ley?

- ¿Hay alguna ley que te gustaría que se derogara? ¿Por qué?

CANTIDAD Y DISTRIBUCIÓN

C.3 Completa las frases con alguna de estas palabras. Puede haber más de una opción posible.

algún/a/os/as   ningún/a/os/as   cualquier/cualesquier   todo/a/os/as   varios/as   cada   ambos/as   sendos/as

1. La Ley de Protección de Datos Personales cuida la información confidencial registrada en .... base de datos o archivo.

2. .... persona debería tener el derecho a acceder a la información pública.

3. Si observa .... irregularidad en el trámite de su solicitud, puede formular su queja ante la Procuraduría General de la Nación.

4. Dos vecinos acusados de incendiar, por separado, ... casas, una situada en Ablitas y la otra en Cascante.

5. .... autoridad debería aplicar la pena de muerte, sea de manera formal o informal.

6. ¿Existe .... ley que prohíba construir nuevas viviendas en zonas donde haya torres eléctricas?

7. El arrendador no tiene razón .... para pedirle a usted que repare los desperfectos.

TRABAJAR LA GRAMÁTICA

PARTICIPIO PRESENTE

C.4 Lee las siguientes frases del vídeo y elige la interpretación correcta.

1. "Un dato personal es la información **concerniente** a individuos concretos."

   ☐ Se refiere a la información **que tiene que ver** con el individuo concreto.

   ☐ Se refiere a la información **que crean** los individuos.

2. "Se le ha dado un uso **inapropiado** a tus datos personales."

   ☐ Se refiere a que alguien **ha hecho un mal** uso de tus datos personales.

   ☐ Se refiere a que alguien **se ha apropiado** de tus datos personales, es decir, los ha robado.

3. "Informar y garantizar el ejercicio de los derechos **pertenecientes** a los titulares de los datos personales."

   ☐ Se refiere a los derechos **que definen** los titulares de los datos personales.

   ☐ Se refiere a los derechos **que pueden** ejercer los titulares de los datos personales.

C.5 Transforma, como en los ejemplos, los siguientes fragmentos procedentes de la Ley de Transparencia de Chile.

1. Un dato personal es la información **concerniente** a individuos concretos.

   → Un dato personal es la información que concierne a individuos concretos.

2. El cliente introduce la información **solicitada** y hace clic en el botón.

   → El cliente introduce la información que le han solicitado y hace clic en el botón.

3. Toda persona tiene derecho a solicitar y recibir información en la forma y condiciones **establecidas** por esta ley.

4. ... los datos personales **referentes** a las características físicas o morales de las personas.

5. En el caso de la información **indicada** en el apartado anterior.

6. Cuando no sea posible individualizar al órgano **competente**, el órgano requerido comunicará dichas circunstancias al **solicitante**.

Fuente: *www.leychile.cl*

MINERÍA DE DATOS

TRABAJAR EL LÉXICO

UNA CAMPAÑA ELECTORAL

D.1 Haz una lista de los términos relacionados con las campañas electorales que aparecen en el texto de la p. 48 del Libro del alumno.

D.2 Explica estos conceptos.

- minería de datos: ....
  ....
- base de datos: ....
  ....
- ciencias de la información: ....
  ....
- sumas de dinero: ....
  ....
- dar entrevistas: ....
  ....
- empresa privada: ....
  ....

TRABAJAR LA GRAMÁTICA

PREPOSICIONES REGIDAS

D.3 Completa los siguientes fragmentos de artículos periodísticos con la preposición adecuada: a, de, en o con.

1. El presidente aseguró que esta medida partidista ni favorece las libertades ni **contribuye** .... combatir el terrorismo.

2. Cualquier candidato podría **estar convencido** .... que su voto se sustenta más en la calidad que en la cantidad de sus promesas.

3. El investigado aseguró ante el juez que "**se trata** .... información proporcionada por personas que intentaban desviar la investigación y confundirnos".

4. El bipartidismo **ha convertido** al joven partido, sin pretenderlo, ... la tercera fuerza nacional.

5. El Banco de México perdió casi todas sus reservas intentando mantener un tipo de cambio tan sobrevalorado como el que **resulta** .... las últimas medidas cambiarias.

6. Todo nacionalismo **se nutre** .... la melancolía ante el objeto perdido, la patria mítica, homogénea y armónica, destruida por el invasor.

7. Todo **apunta** .... una reducción del ritmo de crecimiento, aunque, si hace tres años hubiésemos visto los datos que se manejan hoy en día, **nos** habríamos **dado** .... un canto en los dientes.

8. El conflicto **se remonta** .... 2015, cuando el alcalde nombró concejal a un cuñado suyo.

9. Esa estructura institucional también **atrajo** .... inversionistas extranjeros y a inmigrantes talentosos y trabajadores.

10. El presidente **se ha lanzado** .... la captación de votos como un político que tiene toda su carrera ante él y **dependiera**, para los próximos comicios, solo .... lo que pudieran expresar los votantes en las urnas.

11. Los nacionalistas han decidido pactar con el partido del Gobierno a pesar de que **dispone** .... la mayoría absoluta.

12. **Se trata** .... un ejemplo bien ilustrativo de cómo la nacionalidad de un delincuente **influye** .... las decisiones judiciales.

d
de
dis
cur
so

A ¡QUE HABLE, QUE HABLE...!

ENTRAR EN EL TEMA

HABLAR EN PÚBLICO

A.1 🔊 3-5 **Escucha y completa estos fragmentos de entrevistas a tres personas acostumbradas a hablar en público.**

> **A**
> Yo imparto muchos talleres y 1 .... para directores de empresa. Intento parecer espontáneo, 2 ...., pero eso exige mucho trabajo, al contrario de lo que puede parecer. Ya lo dijo Mark Twain: "Normalmente se tarda más de tres semanas en preparar 3 ....".
>
> ¿Un consejo? Pues, aparte de la regla dorada de 4 ...., diría que hay que evitar los chistes o intentar provocar la risa fácil. Yo, en lugar de eso, intento buscar 5 .... personales o historias empresariales reales para conseguir que la audiencia se identifique. También suelo decir que la eficacia de un discurso depende de que tenga un 6 .... que ayude al público a seguirlo.
>
> Mis máximas son: primero, 7 ...., medirlo al milímetro y dejar espacio suficiente para el debate o las preguntas que le siguen. Segundo, 8 ....; es fundamental para evitar la monotonía. Tercero, dar una imagen de seguridad a través de las miradas, 9 ...., los gestos... y, por último, el uso de ayudas visuales que 10 ...., como imágenes o gráficos.

> **B**
> Yo tengo que dar muchas charlas de presentación de los productos de mi empresa. No siempre conozco a la gente, así que mi primera preocupación es 1 ....: quiénes son, cuántos, qué interés pueden tener en nuestros productos, qué saben de mi empresa, qué esperan... También me informo sobre la sala: cuántas personas caben, las 2 ...., etc. Entonces decido dos cosas importantes: qué quiero que la audiencia sepa y qué quiero que hagan.
>
> Evito empezar con 3 ...., prefiero empezar de forma impactante: lanzo una 4 ...., cuento una anécdota o 5 .... a alguna noticia de cierta actualidad y que de alguna manera voy a conectar con el tema de la charla. Otras veces 6 .... a la audiencia que podremos resolver juntos al final de la charla con los recursos que daré en mi exposición. Preparo muy bien las ayudas visuales y nunca leo el discurso. Lo "recito" en la sala. En ese momento soy un actor que parece que espontáneamente 7 .... el auditorio, pero hay 8 .... detrás.
>
> A diferencia de un 9 ...., la claridad en un discurso consiste en decir primero lo que vas a explicar, explicarlo y, por último, resumir lo que les has explicado. Es así de fácil y así de difícil.

> **C**
> ¿Qué pasos sigo? Pues, lo primero, 1 .... el tema y decidir si lo trato como una exposición 2 .... o si lo desarrollo como una argumentación. Luego, 3 ...., es como una lluvia de ideas de todo lo que se me ocurre sobre el tema en cuestión. También intento pensar siempre en alguna 4 .... relacionada con el tema; siempre 5 .... Luego llega el momento de decidir cómo puedo 6 ....: cuál me va a servir como tesis, qué argumentos puedo aportar para avalarla, conclusiones, etc. En una segunda fase escribo un borrador que voy revisando y modificando hasta conseguir un 7 .... que me satisfaga.
>
> Yo siempre digo que lo importante es planificarlo todo. Además es muy importante cuidar el estilo y huir de metáforas o expresiones muy trilladas. Ah, y, para mí, es fundamental ensayar y grabarme. Así 8 .... y no tengo que leerlo; creo que eso 9 ....

A.2 Observa las expresiones destacadas en estas frases y di lo mismo con otras palabras.

1. Estaba hablando con Juan, pero alguien empezó a llorar y **perdí el hilo del discurso**.

    > ....

2. El partido comunista **ha moderado su discurso** en los últimos años.

    > ....

A.3 Observa qué verbos se combinan con la palabra discurso y escribe tus propias frases de ejemplo.

1. El verbo más general y que pertenece a un registro neutro es **dar**: *El director del centro **dio** un discurso antes de que empezaran las actuaciones de los alumnos.*

    • ....

2. En medios periodísticos o formales alternan **pronunciar** y **proferir**: *La candidata a la presidencia **pronunció/profirió** un discurso vehemente y enardecedor, uno de los mejores de su campaña.*

    • ....

B DESNUDARSE EN PÚBLICO

TRABAJAR EL LÉXICO

EXPRESAR CAMBIO

B.1 Sustituye las expresiones destacadas por un verbo que exprese la misma idea.

1. Contar anécdotas personales **hace más humano** el discurso de una persona famosa.
   ⟩ humanizar(se)

2. En algunas profesiones, la frontera entre trabajo y placer **se hace difusa**.
   ⟩ ....

3. ¿Por qué **se volvió loco** Hamlet?
   ⟩ ....

4. La jefa de Ana la elogió delante de toda la empresa y **se puso roja** de vergüenza.
   ⟩ ....

5. Cuando los periodistas le preguntaron por su divorcio, el actor **se puso furioso**.
   ⟩ ....

6. Por la presión del momento, Almudena **se quedó muda** ante los micrófonos.
   ⟩ ....

7. Antonio Vallejo **se hizo rico** con el negocio inmobiliario.
   ⟩ ....

8. La noticia de la muerte del cantante **puso muy tristes** a todos sus seguidores.
   ⟩ ....

9. Su piel **se volvió más clara** gracias a un tratamiento médico.
   ⟩ ....

10. El cine y la literatura han ayudado mucho a **hacer visibles** otras realidades: los transgénero, por ejemplo.
    ⟩ ....

FAMILIAS DE PALABRAS

B.2 Completa la tabla con las palabras que faltan.

verbo	adjetivo/participio	sustantivo
culpar		la culpa
agradecer	agradecido/a	
protagonizar	protagonista	
		la bandera
intimar		la intimidad
empatizar	empático/a	

verbo	adjetivo/participio	sustantivo
reivindicar		
declarar	declarado/a	
galardonar		
humanizar(se)		la humanidad
premiar		el premio
✘	catártico/a	

¿ERES SINCERO?

B.3 Relaciona cada expresión con el significado que más se ajusta a cada una.

sincerarse — 1

quitarse la careta — 2

quitarse la coraza — 3

dejar aflorar las emociones — 4

mostrar tu cara más amable — 5

contener las emociones — 6

tener dos caras — 7

ir de cara — 8

medir las palabras — 9

hablar sin tapujos — 10

A — Permitir que las emociones se muestren.

B — No permitir que las emociones se muestren.

C — Mostrar las emociones cuando se ha intentado ocultarlas.

D — Contarle a alguien lo que de verdad se siente o piensa.

E — Ir con cuidado con lo que se dice.

F — Dejar de ocultar la verdadera personalidad y mostrarse tal como uno es.

G — Tener dos facetas o personalidades. Puede usarse en sentido positivo o negativo.

H — No tener la intención de ocultar información.

I — Decir algo sin eufemismos, de forma directa.

J — Comportarse de determinada forma para conseguir lo que se desea.

B.4 Escribe tus propios ejemplos con las expresiones anteriores.

1. ....

2. ....

3. ....

4. ....

5. ....

6. ....

7. ....

8. ....

9. ....

10. ....

LATINISMOS

B.5 Completa las frases con estos latinismos. Si lo necesitas, consulta un diccionario.

| *in albis* | *in situ* | *in crescendo* | *ipso facto* | *alter ego* | *ex aequo* | ex profeso | *mea culpa* | *grosso modo* | *motu proprio* |

1. En su discurso entonó un .... por haber dado prioridad al trabajo y descuidar a su familia.

2. El protagonista de la novela es el .... del autor; hay muchas similitudes entre los dos.

3. En el examen me quedé ...., no recordaba nada de lo que había estudiado, todo había desaparecido de mi cabeza.

4. Esta situación no puede continuar así más tiempo, tenemos que encontrar una solución ....

5. Yo creo que, ..., te he resumido lo que pasó el otro día. Ya te lo explicaré con más detalle otro día.

6. ¡Un milagro! Mi hijo se puso a estudiar .... sin que nadie le obligara.

7. Hacienda hará visitas .... a los comercios para controlar el fraude.

8. El director declaró que el papel fue escrito .... para la actriz.

9. Conforme el equipo contrario iba marcando goles, el enfado de los aficionados iba ....

10. En la edición de 2006 del festival de Cannes, todo el elenco femenino protagonista de la película *Volver* de Pedro Almodóvar (1951) ganó .... el Premio a la Mejor Actriz.

> **¡atención!**
> Ortográficamente, los latinismos no adaptados se tratan como extranjerismos, por tanto, se escriben sin acentuar y en cursiva (o, en su defecto, entre comillas " "). Los adaptados, como ex profeso, no es necesario diferenciarlos de ninguna manera.

TRABAJAR LA GRAMÁTICA

INFINITIVO SIMPLE/COMPUESTO

B.6 Transforma estas frases usando infinitivo simple o compuesto, como en el ejemplo.

1. No he podido venir antes. Lo siento.
   ➤ *Siento no haber podido venir antes.*

2. Le dije a Marisa que no podía quedar y ahora me siento mal.
   ➤ ....

3. Rechacé el trabajo y ahora me arrepiento.
   ➤ ....

4. Cobro más dinero que antes, pero eso no me hace sentir mejor..
   ➤ ....

5. ¡Por fin estoy de vacaciones! ¡Qué alegría!
   ➤ ....

6. No pude ir al concierto, qué lástima.
   ➤ ....

VER(SE) + PARTICIPIO

B.7 Observa estas frases. ¿Por qué en un caso el verbo está en singular y en el otro en plural? Trata de explicarlo en pocas palabras.

1. Los sueños de mucha gente **se vieron truncados**.

2. La gente **vio truncados** sus sueños.

B.8 Completa estas frases con **ver(se)** + el participio adecuado, en singular o en plural.

abocado/a	desbordado/a	truncado/a
envuelto/a	forzado/a	

1. Tras admitir que los servicios secretos habían grabado conversaciones telefónicas de importantes líderes políticos, el Gobierno *se vio abocado* a una crisis.

2. Ante la imposibilidad de remontar el 2-0 del marcador, las esperanzas del equipo local de ganar la copa ....

3. Ramón .... por el trabajo y habló con su jefe para que contrataran a un ayudante.

4. El otro día Héctor .... en una pelea. Empezaron a pelearse unos chicos que había en el bar donde estaba.

5. Cuando me quedé sin trabajo .... a salir de España para encontrar un trabajo mejor.

EN CONSECUENCIA

B.9 Elige el conector más adecuado.

1. No me convencía la idea de celebrar la despedida de soltera solo con mis amigas, **de ahí que / por eso** hemos decidido celebrarla conjuntamente, con todos nuestros amigos.

2. Encontré billetes muy baratos para ir a Croacia, **así pues / de ahí que** no vayamos a Suecia, como planeábamos.

3. El presidente de la Real Federación Española de Fútbol ha sido detenido por corrupción. **Por lo que / Por ello**, se ha suspendido el sorteo del calendario de Primera y Segunda división.

4. El ganador de la carrera ha reconocido que se dopó antes de correr y, **consecuentemente / así que**, lo han expulsado de la competición.

5. No han explicado los motivos por los que se suspendió el concierto, **por lo que / de ahí que** la gente esté indignada y pida la devolución del dinero de las entradas.

C EL PERÚ LOS NECESITA

LA GASTRONOMÍA PERUANA

C.1 Explica con tus propias palabras las siguientes frases del discurso de Gastón Acurio.

1. "Sin embargo, cuando estos [los recursos naturales] se acaban, con ellos termina un ciclo económico de bonanza y aparece esa odiosa debacle e incertidumbre que destruye democracias y da origen a falsos caudillos."

2. "Detrás de nuestra entrañable cocina existen oportunidades inmensas de crear conceptos que trasciendan su ámbito local para convertirse en productos peruanos de exportación que no solo aspiren a codearse con conceptos ya instalados globalmente sino que, además, generen en el país enormes beneficios."

TRABAJAR EL LÉXICO

RIQUEZA Y POTENCIAL DE UN PAÍS

C.2 Escribe frases con estas palabras y expresiones sobre países. Puedes buscar información en internet.

próspero/a	conquista/conquistar	potencia mundial	oportunidades
riqueza	triunfo	años/ciclo de bonanza	estabilidad económica
crecimiento			

→ Los años veinte fueron años de bonanza económica para Estados Unidos.

PALABRAS DERIVADAS

⚙️ **C.3** **Transforma las siguientes frases y sustituye los verbos por sustantivos, como en el ejemplo.**

1. La riqueza no consiste en elaborar productos genéricos, sino en **crear** marcas que **se reconocen globalmente** y de esa manera **se expanden** por el mundo.

   → *La riqueza no consiste solo en la elaboración de productos genéricos, sino en la creación de marcas cuyo reconocimiento global les permite llevar a cabo una expansión por todo el mundo.*

2. La economía **creció** gracias a las ayudas del Gobierno.

   ....

3. Los beneficios de las empresas **aumentaron** un 2 % y ello ha facilitado **mejorar** las condiciones de los trabajadores.

   ....

4. **Proliferan** los restaurantes peruanos en Madrid; señal del éxito de la cocina novoandina en España.

   ....

5. Encontramos muchos ejemplos en la historia de que las crisis económicas provocan que **se destruyan** Gobiernos democráticos y **aparezcan** dictaduras.

   ....

6. ¿Por qué nuestra economía **no ha despegado** todo lo rápido que quisiéramos?

   ....

7. **Se expande** la influencia de la cocina peruana por el mundo; Acurio **abre** un nuevo restaurante en París.

   ....

8. En el discurso de Acurio queda claro que **aspira** a llevar la cocina peruana a lo más alto.

   ....

9. **Han aparecido** jóvenes valores de la poesía que nos hacen recuperar la esperanza en el futuro de nuestra literatura.

   ....

10. La Dirección General de Tráfico ha puesto en marcha una nueva campaña de concienciación porque **ha aumentado** el número de víctimas en la carretera.

    ....
    ....

EL VERBO TENER

C.4 Sustituye el verbo tener en las siguientes frases por otro más específico.

`albergar` `surtir` `gozar (de)` `ejercer` `sufrir` `poseer` `experimentar`

1. Mi abuelo es mayor, pero **tiene** buena salud. ▶ ....

2. La presencia española, china y japonesa **tuvo** mucha influencia en la cultura culinaria del Perú. ▶ ....

3. A principios del siglo XXI, el país **tuvo** un importante crecimiento económico. ▶ ....

4. Gastón Acurio **tiene** muchas esperanzas respecto al futuro de la cocina peruana. ▶ ....

5. El sueño de Acurio de convertir Perú en una potencia culinaria está **teniendo** efecto a juzgar por el éxito de los restaurantes peruanos por todo el mundo. ▶ ....

6. Jesús **tuvo** un accidente con la moto y se rompió la pierna. ▶ ....

7. El hombre más rico de España **tiene** una fortuna de unos 71 000 millones de euros. ▶ ....

GASTRONOMÍA

C.5 Relaciona estas palabras con su significado o explicación. Puedes consultar internet si lo necesitas.

- [ ] cebiche/ceviche
- [ ] ají
- [ ] chifa
- [ ] pollería
- [ ] cocina novoandina
- [ ] cocina criolla
- [ ] cocina nikkei
- [ ] taquería
- [ ] anticucho
- [ ] sanguche
- [ ] chicha
- [ ] picantería

1 Nuevo estilo culinario surgido en el Perú del interés de los gastrónomos locales por retomar costumbres alimenticias del pasado prehispánico para recrearlas y rescatar y revalorizar, así, muchos de los ingredientes autóctonos.

2 La palabra proviene de la combinación de dos términos que significan 'comer' y 'arroz' y es un término utilizado en el Perú para referirse a la cocina que surgió de la fusión entre la comida peruana y la de los inmigrantes chinos de mediados del siglo xix e inicios del siglo xx. Asimismo, se usa este término para denominar a los restaurantes donde se sirve esta comida.

3 Es el pimiento picante que da el sabor característico a la comida de Perú. En otros países de América se le llama chile o chili y en España se conoce como guindilla.

4 Locales en los que se prepara y sirve pollo a la brasa, uno de los platos de mayor consumo en el Perú. Consiste en un pollo macerado en una marinada que incluye diversos ingredientes, horneado a las brasas. El plato suele acompañarse de patatas fritas, ensaladas y diferentes tipos de salsas.

5 Establecimiento especializado en servir tacos. Abarcan un espectro muy amplio de estilos y categorías: hay desde puestos callejeros informales hasta restaurantes.

6 Nombre que designa a los emigrantes de origen japonés y a su descendencia. En el mundo de la gastronomía, este término se utiliza para referirse a la fusión de la cocina japonesa con la de los países que recibieron a inmigrantes japoneses y, especialmente, con la cocina peruana.

7 Cocina de origen español e hispanoamericano que se prepara con ingredientes primarios locales como patata, tomate o maíz. La influencia de ambas gastronomías queda patente en el caso de la cocina criolla cubana, puertorriqueña, dominicana, peruana, mexicana o boliviana, entre otras.

8 Plato ampliamente difundido y declarado Patrimonio Cultural de la Nación por el Gobierno peruano. La receta básica es la misma en todas las regiones: zumo de limón, pescado en trozos, cebolla roja, ají y sal al gusto. Los pescados utilizados son muy diversos y se incluyen también otros frutos de mar, como mariscos y algas marinas.

9 Bocadillos que se elaboran en los puestos callejeros de las ciudades peruanas.

10 Este tipo de locales forman parte de una tradición del sur de Perú, especialmente en Arequipa. Son centros populares donde se preparan y sirven platos picantes.

11 Es un tipo de brocheta que consiste en carne y otros alimentos que se asan ensartados en un pincho y cuyo origen se remonta a tradiciones precolombinas. En la actualidad, este plato (con diferentes ingredientes y características) ha perdurado en las gastronomías del Perú, Bolivia, Argentina y Chile.

12 Es la bebida más importante del Perú y se consume en todas sus regiones. Es el refresco nacional por excelencia. Era el refresco preferido de los curacas y caciques desde la época pre Inca.

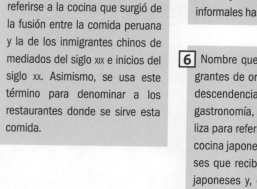

C.6 Tomando como ejemplo las de la actividad C.5, prepara explicaciones o definiciones de conceptos relacionados con la gastronomía de tu país. Comparte la información con el resto de tus compañeros. Puedes elegir estos temas u otros.

- En qué consiste el plato más famoso de tu región o país.
- Influencia de otros países o culturas.
- El alimento que más se consume.
- Puestos de comida callejeros: ¿existen?, ¿sabes si se pueden encontrar en otros países?
- Curiosidades gastronómicas que te parezcan interesantes.

CUESTIÓN DE TAMAÑO

C.7 Reescribe estas frases en un registro más coloquial.

1. Desvelan en un periódico la **inmensa fortuna** que amasan algunos famosos.

2. Los voluntarios trasladados a la zona de la catástrofe han realizado una **labor ingente** para limpiar las playas de fuel.

3. Un accidente en la carretera ha producido un **descomunal atasco** a primera hora de la mañana.

4. Cientos de personas viven en situación de precariedad por no poder pagar las **exorbitantes facturas** de la luz.

5. Las Islas Baleares han sufrido un **aumento desmedido** de visitas turísticas en los dos últimos años.

6. El equipo de cirujanos hizo un **esfuerzo sobrehumano** para salvar la vida del accidentado.

7. Algunos expertos afirman que el **acceso ilimitado** al mundo virtual e internet puede ser peligroso para los jóvenes debido a su poca experiencia vital.

8. La propiedad cuenta con una **vasta extensión** de terreno.

OBSERVAR EL DISCURSO

TÉCNICAS DISCURSIVAS

C.8 6-10 Escucha cinco fragmentos de discursos o presentaciones orales e indica con el número correspondiente a qué situación corresponden.

- [ ] *un/a director/a brinda en una cena de empresa*
- [ ] *un/a comercial presenta un producto a potenciales clientes*
- [ ] *un/a político/a habla en un mitin*
- [ ] *un/a estudiante hace una exposición en clase*
- [ ] *un/a experto/a en ecología da una conferencia*

C.9 6-10 Vuelve a escuchar y toma nota en tu cuaderno de la información que te ha ayudado a resolver la actividad anterior.

C.10 Elige la continuación más adecuada para estas frases.

1. No me gusta nada mi casa,...
   - [ ] **de hecho**, estoy pensando en mudarme.
   - [ ] **al fin y al cabo**, estoy pensando en mudarme.

2. Mucha gente respeta a sus jefes, pero,...
   - [ ] **en efecto**, piensan que son incompetentes.
   - [ ] **en el fondo** piensan que son incompetentes.

3. De Niro es uno de los mejores actores en activo del mundo,...
   - [ ] **no en vano** ha sido muy galardonado.
   - [ ] **en el fondo** ha sido muy galardonado.

D LA POLÍTICA ESPAÑOLA

ENTENDER EL DOCUMENTO

BUENOS Y MALOS MODALES

D.1 Indica si estas frases son verdaderas (V) o falsas (F) según el texto "La buena educación".

1. La situación política española cambia rápidamente. ☐

2. El autor está convencido de que los españoles sienten atracción por la mala educación. ☐

3. El autor no está convencido de que la democracia sea la mejor forma de gobierno. ☐

4. El tono de los políticos españoles debe ser menos agresivo. ☐

5. El autor confiaría en un político sabio, cartesiano y popperiano. ☐

D.2 Haz una lista de normas de comportamiento que te inculcaban tus padres y profesores de pequeño/a. Compara la lista con tus compañeros de clase.

D.3 Estas frases suelen decirse a los niños para que hagan o dejen de hacer algo. Escribe qué norma social reflejan y en qué contextos crees que se pueden decir.

- ¿Cómo se piden las cosas?
  - ....
  - ....

- ¿Qué se dice?
  - ....
  - ....

- ¡No me contestes!
  - ....
  - ....

- El burro delante para que no se espante.
  - ....
  - ....

- ¿Se te ha comido la lengua el gato?
  - ....
  - ....

- Eso no se dice.
  - ....
  - ....

TRABAJAR EL LÉXICO

POLÍTICA Y POLÍTICOS

D.4 Tacha la palabra de cada grupo que no se corresponde con las demás.

1. democracia | dictadura | monarquía | parlamento

2. socialismo | bipartidismo | comunismo | anarquismo

3. politizar | presidir | liderar | gobernar

4. autonomía | senado | región | estado

5. decreto | voto | referéndum | elecciones

6. senador/a | candidato/a | ministro/a | diputado/a

SITUACIONES EXTREMAS

D.5 Continúa estas frases de manera lógica.

1. Alguien que se pierde en la selva puede **llegar al extremo de** ....

2. Si una persona pierde el trabajo y se arruina puede **llegar al extremo de** ....

3. Una persona que se enamora locamente de otra **puede llegar al extremo de** ....

COMBINACIONES FRECUENTES CON ENTRAR

D.6 Fíjate en cómo funciona el verbo **entrar** en el ejemplo y escribe frases sobre ti combinándolo con las palabras de las etiquetas.

hambre   pereza   náuseas   sueño   la nostalgia
ganas (de hacer algo)

"Cuando veo el éxito que tienen determinados debates televisivos en los que quien más grita sin dejar hablar a los demás es quien más aplausos recibe, **me entra el más negro pesimismo** sobre nuestra cultura política."

1. ....
   ....
2. ....
   ....
3. ....
   ....
4. ....
   ....
5. ....
   ....
6. ....
   ....

EXPRESIONES

D.7 Sustituye la parte destacada en negrita por una de estas expresiones. Haz las modificaciones necesarias.

ser agua pasada   (no) tener remedio   dar un giro (hacia)   sacar/salir de sus casillas   dar la talla   montar la bronca

1. Mi vida **cambió completamente** cuando conocí a mi actual pareja.   ❯ ....

2. No te preocupes por lo que me dijiste el otro día. Sé que estabas nervioso así que, para mí, ese tema **está olvidado**.   ❯ ....

3. Como el jugador **no cumplió las expectativas**, al final de la temporada el club decidió traspasarlo a otro equipo.   ❯ ....

4. La gente que está todo el tiempo hablando en broma y no dice nunca nada en serio **me hace perder la paciencia**.   ❯ ....

5. Miguel **riñó** a su hijo por dejar los juguetes por el suelo.   ❯ ....

6. Por mucho que digan los políticos, ya **no se puede hacer nada para arreglar** esta situación.   ❯ ....

UN MOMENTO, POR FAVOR

D.8 Expresa con tus palabras el sentido de las expresiones destacadas.

1. Qué miedo he pasado cuando pasábamos tan cerca del acantilado. **Por momentos** pensaba que nos íbamos a matar.   ❯ ....

2. A Leonor le crece la tripa **por momentos**. Hace dos semanas no se le notaba el embarazo.   ❯ ....

3. No entiendo tu sentido del humor, **por un momento** creí que estabas hablando en serio.   ❯ ....

4. Las ganancias son, **por el momento**, inferiores a las del año pasado.   ❯ ....

D.9 Escribe tus propios ejemplos con las expresiones anteriores.

1. ....
2. ....
3. ....
4. ....

¿AL PRINCIPIO O EN PRINCIPIO?

D.10 Lee estas frases e indica qué valor tiene al principio y en principio.

1. **Al principio** creía que me gustaría más vivir en una ciudad que en un pueblo, pero después de 13 años viviendo en Barcelona, he cambiado de opinión.

2. **En principio** queremos vivir en este barrio, pero si los alquileres siguen subiendo, no sé yo...

☐ Sitúa una acción en un marco temporal.

☐ Indica que algo es lo esperado.

D.11 Elige la opción correcta.

1. Como anuncié **en/al** principio de mi intervención, mi incorporación se hará efectiva a partir de mañana.

2. **En/al** principio, mi compañero de piso y yo chocábamos mucho, pero ahora nos entendemos muy bien.

3. En español se escribe también signo de interrogación **en/al** principio de frase.

4. Paolo y Raquel han dicho que **en/al** principio estarán en casa, pero que llamemos antes de ir para confirmar.

TRABAJAR LA GRAMÁTICA

INDICATIVO/SUBJUNTIVO

D.12 Conjuga los verbos en la forma correcta.

1. No se trata de que los políticos .... (**ser**) maleducados o no, sino de que la mayoría de ciudadanos no lo .... (**ser**).

2. En mi época no era noticia que un político .... (**insultar**) a otro, sino que un político .... (**hacer**) bien su trabajo.

3. Mucha gente cree que .... (**deber**) prohibirse los programas basura en la televisión.

4. Yo no perdono que un político............................ (**salirse**) de sus casillas en público.

5. Me extrañaría mucho que nuestro presidente .... (**adoptar**) el lenguaje de la lucidez y de la mesura.

6. Fue una total falta de respeto a muchos votantes que el presidente .... (**prohibir**) al líder de la oposición volver a la cámara de los diputados.

7. No me extrañaría nada que el asesor del presidente .... (**ser**) su entrenador de boxeo a juzgar por cómo trata al partido de la oposición.

8. Estoy de acuerdo con el Sr. De Carreras, pero yo no confiaría mucho en que en los próximos meses la política española .... (**dar**) un giro hacia la moderación.

LLEGAR A + INFINITIVO

D.13 Lee estas frases y marca para qué se usa la perífrasis llegar a + infinitivo.

- Viendo lo que pasa en el mundo, **he llegado a** creer que los animales son más humanos que los propios humanos.

- El escritor fue rechazado tantas veces antes de que se publicara su primer libro que **llegó a** plantearse dejar de escribir.

☐ Presenta una acción como algo extremo o más allá de las expectativas del hablante.

☐ Indica que la acción es la última de una serie de acciones sucesivas.

PARECER + INFINITIVO

D.14 Transforma estas frases sin usar el infinitivo, como en el ejemplo.

1. La torpeza de los politicos **parece no tener remedio**.
   → *Parece que la torpeza de los políticos no tiene remedio / Parece como si la torpeza de los políticos no tuviera remedio.*

2. Aunque digas que es un secreto, **pareces querer** que lo sepamos.

   _____

   _____

3. ¿Qué tal la excursión? **Parecéis necesitar** una ducha...

   _____

   _____

4. **Pareces no haber dormido** mucho esta noche.

   _____

   _____

D.15 Transforma estas frases usando parecer + infinitivo.

1. Dices que el pasado es el pasado, pero no parece que hayas olvidado a Sofía.

   _____

   _____

2. Parece como si hubieras llorado, ¿estás bien?

   _____

   _____

3. Parece que los niños se divierten jugando en la piscina.

   _____

   _____

4. No parece que tengas muy claro cómo se usa este robot de cocina.

   _____

E *de* **e mo cio nes**

A CONTENIDO VIRAL

ENTRAR EN EL TEMA

¿POR QUÉ SE VIRALIZAN?

A.1 ¿Qué cosas, personas o situaciones te provocan las siguientes emociones?

- Me provoca/n ternura ....
- Me causa/n pena ....
- Me hace/n gracia ....
- Me desconcierta/n ....
- Me hace/n sentir vergüenza (ajena) ....
- Me da/n ganas de llorar ....
- Me da/n que pensar ....

A.2 ¿Cuáles son para ti las claves para que un contenido se viralice? Ordena las siguientes emociones según el grado de impacto que te producen y escribe un pequeño texto de unas cinco o seis líneas justificando la elección de las tres primeras.

interés	júbilo/alegría	asombro
diversión	tristeza	inquietud
indignación	nostalgia	

A.3 Busca en el diccionario los diferentes significados de chorizo y juicio y piensa en cómo explicarías en tu lengua estos juegos de palabras.

A.4 Observa estas imágenes de Mr. Wonderful© y trata de explicar el sentido de las bromas. Usa el diccionario para comprobar los diversos significados de las palabras clave.

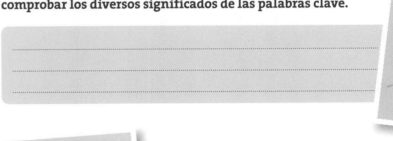

A.5 11 Escucha esta entrevista a la periodista Delia Rodríguez, autora del libro *Memecracia: los virales que nos gobiernan* y contesta a las siguientes preguntas.

1. ¿Cómo define la autora un meme?

....
....
....
....

2. ¿En qué consiste lo que Delia denomina "memecracia"?

....
....
....
....

3. ¿Qué papel juega la emoción en este sistema?

....
....
....
....

A.6 En la entrevista se menciona varias veces el caso del *"relaxing cup"*. Averigua en internet de qué se trata. ¿Algunos políticos de tu país han sido protagonistas de memes? Piensa en algún ejemplo concreto y trata de explicar por qué se hizo viral.

B EL OPIO DE LOS PUEBLOS

TRABAJAR EL LÉXICO

EMOCIONES A FLOR DE PIEL

B.1 En el texto aparecen varios términos relacionados con las emociones y los sentimientos. Relaciona cada palabra con su definición.

desprecio — 1	A — Amor, veneración.
fascinación — 2	B — Desestimación, falta de valoración.
desconfianza — 3	C — Atracción irresistible.
devoción — 4	D — Sentimiento intenso de placer, alegría o satisfacción.
lealtad — 5	E — Sentimiento de fidelidad y gratitud.
goce — 6	F — Expresión del deseo de que ocurra algo malo a alguien.
entusiasmo — 7	G — Conocimiento seguro y claro de algo.
maldición — 8	H — Exaltación del ánimo.
certeza — 9	I — Temor, falta de confianza.

B.2 Define estas palabras teniendo en cuenta su relación con los sentimientos. Trata de poner ejemplos concretos.

- burlarse: reírse de algo o alguien. Puede ser con mala intención o de manera más inocente, para hacer una broma.

- gritar: ....
....

- felicitar: ....
....

- hipnotizar: ....
....

- repudiar: ....
....

- elogiar: ....
....

- suspirar: ....
....

- celebrar: ....
....

- delirar: ....
....

EL DEPORTE REY

B.3 Señala y clasifica las palabras relacionadas con el ámbito del fútbol que aparecen en el texto de la p.62 del Libro del alumno. Después, añade otras palabras.

FÚTBOL

ACCIONES

LUGARES

PERSONAS

VERBOS

OBJETOS

¿QUEDARSE, ESTAR O DEJAR?

B.4 Completa las frases con quedarse, estar o dejar.

1. Mi hermano .... un poco afligido cuando supo la noticia.

2. Mi hermano .... un poco afligido desde que conoció la noticia.

3. La noticia .... a mi hermano muy afligido. No me parece buena idea que se lo cuentes ahora.

4. Yo .... encantado con este hotel, por eso siempre me alojo aquí.

5. Mis padres .... encantados con el trato que les dieron en el hotel.

6. El personal del hotel .... encantados a mis padres.

7. Cuando Carlos supo que no seguiría en la empresa después de terminar el proyecto, ... un poco desmotivado.

8. Saber que no seguiría en la empresa después de terminar el proyecto lo .... un poco desmotivado.

9. Desde que Carlos supo que no seguiría en la empresa después de terminar el proyecto, ... un poco desmotivado.

TRABAJAR LA GRAMÁTICA

NACEMOS GRITANDO GOL

B.5 Reformula estas frases sin usar el gerundio.

1. Todos los uruguayos nacemos **gritando** gol.

....

2. **Aguzando** el oído puede usted escuchar gemidos.

....

3. [...] donde puede verse en carne y hueso a sus ángeles, **batiéndose** en duelo.

....

4. [...] y salta como una pulga **abrazando** al desconocido que grita gol a su lado.

....

5. **Siguiendo** un programa estricto y personalizado se puso en forma y pudo clasificarse para la final.

....

➤➤ Continúa en la página siguiente.

>> 6. **Sabiendo** el mal humor que gasta, decidí dejarle en paz.

....

....

7. **Sonriendo** y **siendo** amable se te abrirán muchas más puertas que con esa actitud tan arrogante.

....

....

8. En el grupo había una chica **llorando** a lágrima viva y a la que todos trataban de consolar.

....

....

9. **Yendo** de camino a la barbacoa nos llamaron para decirnos que la dejaban para otro día, que **lloviendo** no tenía gracia.

....

....

10. Caminaba hacia nosotros **mirándonos** con una cara de odio que asustaba.

....

....

SALTA COMO PULGA

B.6 Observa estos símiles que usa Galeano en el texto de la p.62 del Libro del alumno. Luego, establece otros símiles a partir de estas frases.

"Se dejan llevar **como un rebaño** por sus enemigos."
"El hincha salta **como pulga** abrazando al desconocido."
"Jugar sin hinchada es **como bailar sin música**."

1. El jugador se escapó hábilmente de su adversario como ....

....

2. La selección luchó hasta el último momento como ....

....

3. Los atronadores cánticos de la afición resonaban como ....

....

4. Un partido sin goles es como ....

....

5. La incomprensible decisión del árbitro cayó entre la hinchada como ....

....

6. El fortísimo chute entró en la portería como ....

....

7. Un estadio vacío es como ....

....

8. Las inspiradoras palabras del entrenador fueron como un ....

C COSA DE VALIENTES

SER VALIENTE

C.1 ¿Por qué crees que el documental se llama *Jóvenes valientes*? Arguméntalo en unas pocas líneas.

C.2 Haz una lista de todas las dificultades y renuncias que los protagonistas del documental han debido afrontar para llevar a cabo su sueño.

C.3 ¿Qué otras actividades o aficiones requieren también de un alto nivel de sacrificio?

TRABAJAR EL LÉXICO

EMOCIONES

C.4 Crea combinaciones de palabras con estos sustantivos y los verbos de las etiquetas.

(la) confianza (el) pánico (la) aversión
(el) cariño (la) pena (la) vergüenza
(la) paciencia (el) respeto

ganarse
inspirar
pasar
morirse de
tomar
agotarse

C.5 Imagina que, como los protagonistas del corto, eres un bailarín o bailarina de *ballet*. ¿Qué reacción tendrías ante las siguientes situaciones? Usa los verbos que has aprendido en la actividad C.9 del Libro del alumno.

1. Si estuvieras a punto de entrar en escena y tu compañera no parara de darte golpes en el hombro para preguntarte cosas.
   → Me pondría muy nervioso / Me enervaría.
2. Si a pesar de las innumerables horas de ensayo y de prácticas, el espectáculo saliera mal.
3. Si un/a compañero/a lograra una importante beca a la que tú también optabas para estudiar en el Ballet Nacional de Cuba.
4. Si tuvieras que combinar tus estudios con un trabajo y la práctica del *ballet* a nivel profesional.
5. Si presenciaras como un compañero rompe tus zapatillas a propósito.
6. Si resbalaras y te cayeras al suelo en plena actuación.

TRABAJAR LA GRAMÁTICA

PRONOMBRES REFLEXIVOS TÓNICOS

C.6 Expresa las mismas ideas que en estas frases sin usar mismo/a/os/as.

1. No te preocupes por él, sabe cuidar de sí **mismo**.
2. Fue una boda muy informal, tanto la comida como la barra de bebidas eran "sírvase usted **mismo**".
3. ¿Te gusta el cabecero de la cama? Lo hice yo **misma** con palés.
4. Desde el accidente no puede valerse por sí **mismo**, necesita asistencia.
5. Los últimos estudios demuestran que hablar con uno **mismo** es un síntoma de cordura.
6. Hasta que no te quieras a ti **misma** no podrás proyectar seguridad ante los demás.
7. Para aprobar una oposición hay que dar lo mejor de uno **mismo**.
8. Uno de los objetivos más importante de la escuela debe ser enseñar a los chicos a pensar por sí **mismos**.

C.7 Algunas de estas frases son incorrectas. Corrige los errores cuando los haya.

1. Habla continuamente de él.

2. Habla continuamente de sí.

3. Nunca va a la peluquería, se corta el pelo él.

4. Creer en una misma es vital para el desarrollo personal.

5. Ten confianza en ti y llegarás donde quieras.

6. En ocasiones tienes que pensar en ti mismo y anteponer tus intereses a los de los demás.

7. Es una persona autodestructiva y dañina, no para de hacerse daño a sí y a los que la rodean.

PERÍFRASIS VERBALES

C.8 Di una situación en la que...

* ... te pondrías a limpiar como un/a loco/a.

* ... te echarías a llorar desesperadamente.

* ... te darías la vuelta y echarías a correr.

* ... te echarías a temblar.

* ... te pondrías a hacer deporte de forma compulsiva.

* ... te pondrías a cantar y bailar en mitad de la calle.

* ... romperías a aplaudir enfervorecido/a.

COMO QUE

C.9 ¿Para qué crees que se usa la expresión resaltada en negrita? Márcalo. ¿Te parece propio del registro coloquial o culto?

" "Y entonces, desde muy niña, **como que** desperté ese interés por la danza."

☐ Para aportar un ejemplo hipotético.

☐ Para comparar con algo.

☐ Para presentar un hecho con un matiz de indefinición.

C.10 Completa estas frases de manera lógica.

1. Creo que debería ir al médico. Últimamente como que
   → *pierdo el equilibrio y todo me da vueltas...*

2. Llevaba años sospechando, pero aquel día como que ....

3. En mi familia, al ser todos artistas, como que ....

4. Me he encontrado a Alicia hoy, pero no nos hemos entretenido mucho. Ella como que ....

5. Al final me voy a poner el vestido verde en vez del rojo. Con él, como que ....

OBSERVAR EL DISCURSO

MECANISMOS DE GENERALIZACIÓN

C.11 ¿Qué emociones se producen después de romper con una pareja? Continúa el texto explicando las distintas fases por las que se suele pasar en una situación así. Utiliza los mecanismos de generalización (2ª. persona del singular, uno o cada cual).

Cuando se produce la ruptura de una pareja y la persona con la que **uno** compartía tantos momentos buenos se va de nuestra vida, lo primero que hay que hacer es aceptar que la relación se ha acabado, que **cada cual** debe continuar con su vida.

D SER FELIZ POR OBLIGACIÓN

TRABAJAR EL LÉXICO

SENTIDO FIGURADO

D.1 Consulta en las fichas el significado literal de los verbos abrazar, tragar, atrincherarse, huir y forjar y compáralo con el sentido que tienen en estas frases. Luego, completa las fichas con la definición de estos verbos en sentido figurado.

1. "Le proponemos **abrazar** el pensamiento negativo."
2. "No tendrá que volver a **tragar** con patrañas, mamarrachadas y soplapolleces."
3. "No sea usted un hombre/mujer sano/a, encuentre ese lugar del sofá donde poder **atrincherarse**."
4. "**Huya** de ese modelo opresivo que le han querido vender como educación y que en realidad es un auténtico coñazo."
5. "Este sencillo ejercicio de pesimismo **forjará** en usted una mala baba sin precedentes."

---

abrazar
1. Ceñir [algo o a alguien] con los brazos.

2. ....
....
....

---

tragar
1. Hacer movimientos voluntarios o involuntarios de tal modo que algo pase de la boca hacia el estómago.

2. ....
....
....

---

atrincherarse
1. Ponerse en trincheras a cubierto del enemigo.

2. ....
....
....

---

huir
1. Apartarse de alguien o de algo deprisa para alejarse de un peligro o una molestia.

2. ....
....
....

---

forjar
1. Dar la primera forma con el martillo a cualquier pieza de metal.

2. ....
....
....

D.2 Escribe una frase con los verbos de la actividad anterior en su sentido figurado.

1. ....
....

2. ....
....

3. ....

4. ....
....

5. ....
....

TRABAJAR LA GRAMÁTICA

HACER RECOMENDACIONES

D.3 Fíjate en los verbos en infinitivo; ¿podrían aparecer en alguna otra forma?

1. "No le recomendamos **cavar** debajo del arcoíris, básicamente porque allí no habrá ninguna olla…"
2. "Les proponemos **ser** los pioneros en la propagación de un nuevo género: el autoodio."
3. "Le proponemos **abrazar** el pensamiento negativo, la mala hostia , la fealdad, la cara de asco y el gruñido."

D.4 Haz cinco recomendaciones en la línea de las de B.3 con estos verbos.

proponer   sugerir   aconsejar   recomendar   instar

→ Te proponemos ser / que seas el aguafiestas oficial de tu grupo de amigos. Recuérdales que el lunes hay que volver a trabajar y verás cómo se les quitan las ganas de pasarlo bien.

1. ....
....
2. ....
....
3. ....
....
4. ....
....
5. ....
....

OBSERVAR EL DISCURSO

LENGUAJE VULGAR

D.5 En el texto aparecen muchas palabras y expresiones propias del lenguaje vulgar. ¿Cuáles te parecen malsonantes? Márcalo.

coño   salir de la entrepierna   idiota   de mierda   mala hostia   soplapollez   mamarrachada   los cojones   mala baba
hijo de puta   coñazo   cagarse   joderse

D.6 Sustituye las expresiones destacadas por otras de registro más neutro. Haz las modificaciones necesarias.

1. Deje de ayudarme, **coño**.
   › ....
2. Tiene usted que ser feliz porque **le sale** a un portugués **de la entrepierna**.
   › ....
3. ¿No está cansado de sonreír todo el día como si fuera **idiota**?
   › ....
4. ¿Quiere darle un cabezazo a la pared después de una semana **de mierda** en la oficina?
   › ....
5. Le proponemos abrazar el pensamiento negativo, **la mala hostia**, la fealdad, la cara de asco y el gruñido.
   › ....
6. Al menos no tendrá que volver a tragar con patrañas, **mamarrachadas y soplapolleces**.
   › ....
7. Nosotros le diremos la verdad: **los cojones**.
   › ....
8. Este sencillo ejercicio forjará en usted una **mala baba** sin precedentes.
   › ....
9. Eso significa que no existen vegetarianos ni veganos que sean unos **hijos de puta**.
   › ....
10. Huya de ese modelo opresivo que le han querido vender como educación y que en realidad **es un auténtico coñazo**.
    › ....
11. Lo ayudará a dejar de pensar en campos verdes [...] donde los pájaros vuelan del revés para no **cagarse** en su cabeza.
    › ....
12. Sea usted mismo y que **se joda** el mundo.
    › ....

No soy un color.

No todos los latinos somos mexicanos.

A FRONTERAS Y ESTEREOTIPOS

ENTRAR EN EL TEMA

FRONTERAS CULTURALES

A.1 Lee las palabras de esta lista y escribe si son cosas que unen, que separan o las dos cosas. Explica por qué.

un alambre de espino	un muro
un puente una verja	una clase social
una cultura un foso	un idioma
un mar un sector profesional	un país

1. ....
....
....

2. ....
....
....

3. ....
....
....

4. ....
....
....

5. ....

6. ....

7. ....

8. ....

9. ....

10. ....

11. ....

A.2 El verbo *discriminar* tiene dos acepciones distintas: "distinguir o diferenciar entre varias cosas" o "marginar, dar un trato desigual a una persona o colectividad". Lee estas frases e indica con una **D** (distinguir, diferenciar) o una **M** (marginar) a cuál de los dos sentidos corresponde cada uso.

1. Ante el gran número de libros que se editan, la labor de un librero experto consiste en ayudar a **discriminar**, en enseñar a elegir entre la amplia oferta existente. ☐

2. Con la edad, disminuye la capacidad de **discriminar** los sonidos, y hay una pérdida en la percepción de los sonidos más agudos. ☐

3. Hoy no puede entenderse de ningún modo una cultura que **discrimine** a las personas por motivos de género. ☐

4. Un informe de la ONU afirma que el pueblo gitano sigue siendo el colectivo que más **se discrimina** en España. ☐

5. Los daltónicos no pueden **discriminar** matices de rojo, verde y, ocasionalmente, azul. ☐

B ESPACIO PÚBLICO, ESPACIO PRIVADO

TRABAJAR EL LÉXICO

TRATAR

B.1 Relaciona las frases con el sentido correspondiente del verbo tratar.

1. *Te presto el vestido, pero **trátalo** con cuidado, que me gusta mucho.*

2. *Antes de pintar la puerta, habría que **tratar** la madera, porque la pintura, si no, no se va a adherir.*

3. *Mis primos y yo no **nos tratamos** mucho. Viven lejos y solo coincidimos un par de veces al año.*

4. *La comida estaba buena, pero no creo que volvamos al restaurante porque nos **trataron** fatal.*

5. *Este tema lo vamos a **tratar** en la reunión de mañana, que hoy ya no tenemos más tiempo.*

6. *Esta novela es buenísima. No voy a decirte **de** qué **trata** porque quiero que te sorprenda.*

7. *A Juan le **están tratando** la infección y parece que va a recuperarse en pocos días.*

8. *Me siento muy frustrado en el trabajo. Yo **trato de** hacerlo todo bien, pero siempre tengo la sensación de que lo hago todo mal.*

A. *Hablar sobre un asunto. Discutir.*

B. *Hablar, versar. Desarrollarse una trama.*

C. *Aplicar los medios adecuados para curar o aliviar una enfermedad.*

D. *Intentar, procurar.*

E. *Someter un material a un proceso.*

F. *Manejar algo y usarlo materialmente.*

G. *Comunicarse o relacionarse con alguien.*

H. *Proceder, comportarse con una persona de determinada manera.*

B.2 Crea otras combinaciones posibles con estos usos del verbo tratar y escríbelas en tu cuaderno.

tratar ⟩ un tema ⟩

⟩ la novela ⟩ tratar de

tratar ⟩ la infección ⟩

tratar ⟩ la madera ⟩

RELACIONES

B.3 En estas frases se usan expresiones habituales para hablar de relaciones entre personas. Tradúcelas a tu lengua. Las tres primeras frases son metáforas. ¿Existen metáforas equivalentes en tu idioma?

1. Juana y Maribel **son uña y carne**. Siempre van juntas a todos lados.

2. David y yo no **encajábamos**. Por eso decidimos separarnos.

3. Mis compañeros de piso **chocan** un poco. Siempre están discutiendo.

4. El perrito que adoptamos se ha convertido en el mejor amigo de mi hijo. **Son inseparables.**

5. Me alegra que Irene y Germán vuelvan a estar juntos. **Están hechos el uno para el otro.**

6. Mi hermana y yo nos lo contamos todo. **Estamos muy unidas.**

7. No acabo de **conectar con** mi compañero de trabajo. Es majo, pero no **hay** *feeling*.

8. Nos conocimos a través de un amigo en común y **nos entendimos** al momento.

9. Con mis vecinos **tengo una relación cordial**. Nos saludamos y cruzamos un par de frases cuando coincidimos, pero ya está.

B.4 Contesta a estas preguntas.

- ¿Hay alguien con quien **seas uña y carne**? ¿Cómo es vuestra relación?

....

- ¿Con quién **te entiendes** muy bien?

....

- ¿Conoces a alguna pareja que, según tú, **estén hechos el uno para el otro**? ¿Por qué te lo parece?

....

- ¿Últimamente ha habido alguien **con** quien **conectaras** al momento? ¿A qué se debe ese *feeling*?

....

- ¿Hay alguna persona a la que **estés muy unido/a**?

....

- ¿Con quién/es dirías que mantienes una **relación** solo **cordial**?

....

- ¿Hay alguien **con** quien **choques** a menudo? ¿Qué lo provoca?

....

TRABAJAR LA GRAMÁTICA

SE IMPERSONAL

B.5 Fíjate en las construcciones con se que aparecen en estas frases. Todas tienen un sentido generalizador. Intenta reformular las frases usando la 3ª. persona del plural, uno, la gente o todo el mundo.

1. "En este sentido, **se hace** una separación significativa entre el mundo del trabajo y el de las relaciones personales."

....

2. "A menudo puede ser frustrante e irritante ver que **se le excluye** de celebraciones a las que en su país de origen estaba acostumbrado a asistir."

....

3. "Más al contrario, **se tiene por norma** que el hecho de que se trabaje junto a alguien o para alguien no tiene nada que ver con la amistad o las relaciones personales."

....

B.6 En estas otras frases aparece otro recurso para expresar generalización. ¿Cuál es? Subráyalo.

1. "Trabajar junto a alguien o para alguien no tiene nada que ver con la amistad o las relaciones personales, por muy bien que te lleves con ese alguien."

....

2. "Lo más complicado del tema es que, cuando estás en el trabajo, puedes tener una relación igualmente satisfactoria y por ello puedes tender a pensar que hablan como 'te hablaría un amigo'."

....

B.7 En una de las frases de la actividad anterior, podrías utilizar se con sentido generalizador. En la otra tendrías que utilizar el pronombre uno. Transforma las frases usando, en cada caso, uno de estos dos mecanismos generalizadores.

1. ....

....

2. ....

....

B.8 Ahora, completa la regla.

> **Uso de se**
>
> Con verbos ...., el pronombre **se** forma parte del verbo, pero no tiene sentido generalizador. Por eso hay que utilizar otro recurso para dar ese sentido a la frase.

HIPÓTESIS

B.9 **En las siguientes frases, indica si las formas de futuro de indicativo se utilizan para situar un hecho en un momento futuro (F) o para formular una hipótesis (H) sobre el presente o sobre el pasado.**

1. He leído que dentro de algunos años la ciencia **habrá avanzado** tanto que la gente ya no morirá por enfermedad. ☐

2. Me pregunto qué **estarán diciendo** de nosotros ahora mismo en la reunión. ☐

3. Todavía no tenemos el nuevo libro, pero en la librería nos han dicho que lo **recibirán** esta tarde. ☐

4. Las previsiones de la Policía indican que este **será** uno de los fines de semana con más desplazamientos por carretera. ☐

5. A esta hora, Luis ya **habrá cogido** el tren, seguro. ☐

6. Tengo un ejemplar del libro que necesitas para las clases, pero no sé si **será** la edición que te han indicado. ☐

7. Viendo cómo se ha comportado, imagino que Rafael **pensará** que tiene razón, ¿no? Pues se equivoca; no la tiene. ☐

8. Para las seis **habrán terminado**, no les quedaba mucho por hacer. ☐

9. Mira cómo se parece a Jesús ese hombre que está con él. ¿**Serán** familia? ☐

10. Julio es muy descarado. **Tendrá** problemas en el trabajo si continúa así. ☐

B.10 **Completa las frases con futuro simple, futuro perfecto, condicional o** estar **+ gerundio en futuro o condicional, según corresponda. Puede haber más de una opción correcta.**

1. Me imagino que en los próximos meses (subir) .... mucho el precio del aceite de oliva.

2. Los combates se han interrumpido y, según los representantes de las Naciones Unidas, en las próximas horas (haber) .... nuevas conversaciones entre los dos bandos.

3. Son las 21:15 h, y la cena empezaba a las 21:00 h. Según el programa, los ministros (cenar) .... con el presidente.

4. No sé mucho de este tema, pero creo que, muy pronto, la tecnología (permitir) .... la creación de atmósferas artificiales similares a la del planeta Tierra.

5. Qué raro que María no llamase anoche... ¿(Quedarse) .... sin batería en el móvil?

6. ¿Y dices que no te saludó? Bah, no le des importancia. (Pensar) .... en otra cosa cuando os cruzasteis...

7. No acabo de entender que Jorge tomara esa decisión. ¿Por qué lo (hacer) ....?

8. ¿Qué hace la policía en la puerta de casa? ¿Nos (robar) ....?

9. Es muy raro que Laura no haya probado el vino en toda la cena. ¿(Estar) .... embarazada?

10. Mauro y Ángel volvían hoy de Irlanda. A esta hora (aterrizar) ....

ACTUAR

¿TÚ O USTED?

B.11 **Una joven española que vive en Alemania cuenta sus experiencias en un blog. Lee esta entrada sobre el uso de** tú **y de** usted **en España y en Alemania. ¿Qué formas de tratamiento prefiere ella? Resúmelo en una frase.**

30 MAYO 2017

CÓMO SABER SI TE ESTÁS "ALEMANIZANDO"

En Alemania, desde que alguien tiene alrededor de 16 años, se le trata de usted. Siempre y en todo lugar. Al principio sorprende, pero en realidad me he dado cuenta de que es como debería ser. A no ser que alguien te pida que le tutees (aunque ellos te siguen tratando de usted).

En España, en cambio, la moda es tutear. Poca es la gente que trata de usted a alguien. Incluso en las empresas, al Comité de Dirección generalmente se le tutea. Y a las personas mayores. Algunas personas parece que incluso se ofendan si las tratas de usted, puesto que las haces mayores. Y a mí, habiendo presenciado varias veces el hecho de que alguien joven trate de tú a alguien más mayor, me parece que estamos olvidando un valor muy importante, que es el respeto.

Con ello no quiero decir que a la gente no se la pueda tutear, pero solo si te lo piden. Y más si entras en una tienda y el dependiente le habla directamente de tú a una persona (y además, cliente) mayor que él.

Anteriormente en España se había incluso llegado a tratar de usted a los padres. Quizá no haría falta llegar hasta ahí, pero considero que debería volverse a tratar de usted en el momento de dirigirse a alguien, demostrando de entrada el respeto por la persona.

Fuente: www.cronicasgermanicas.com

B.12 ¿Y tú? ¿Con qué formas de tratamiento te sientes más cómodo? Completa la tabla.

	tu padre	tu madre	tu jefe/a	el/la médico	un/a camarero/a en un restaurante	un/a profesor/a universitario/a	un/a desconocido/a de 60 años en la calle
Tú lo/la tratas de...							
A ti te trata de...							

B.13 En tu país, las formas de tratamiento, ¿se parecen más a las de España, a las de Alemania o son muy diferentes de las dos? Escribe un comentario para ese blog, explicando cómo funcionan dichas formas en tu país y en tu lengua.

RESPUESTA

C UNA PELÍCULA SOBRE TÓPICOS

TRABAJAR EL LÉXICO

CALIFICATIVOS

C.1 Completa las frases con el adjetivo más adecuado.

comilón/a   dicharachero/a   fantasioso/a   flojo/a   gracioso/a   parlanchín/a   pasota   seco/a   soso/a   zalamero/a

1. Vicente ha repetido del primer y segundo plato, se ha comido un pedazo de tarta enorme y dice que todavía tiene hambre. Nunca había visto a nadie tan ....

2. A mi sobrino le encanta jugar solo e inventar mundos y personajes con los que vivir aventuras. Me gusta mucho que sea tan ....

3. Me río mucho con las bromas de Javier. Es muy ....

4. Siempre que llamo a mi abuela me tiene una hora al teléfono. Es muy ....

5. Me encanta este programa de radio. El presentador y los colaboradores son muy .... y se hace muy entretenido.

6. Óscar es un .... Tiene mucha labia y siempre tiene algo bueno que decirte, aunque a veces es un poco exagerado.

7. ¡Julián es tan ....! Nunca se compromete a nada y todo le da igual.

8. Lorena no es mala chica, es solo que es un poco .... y eso hace que parezca distante y antipática.

9. Ayer quedé con un chico que conocí por internet y me fui al cabo de una hora. ¡Qué .... era! No tenía ni pizca de gracia, el pobre.

10. Parece mentira que siendo tan joven sea tan .... A esa edad debería tener más energía.

C.2 Lee estas frases y piensa qué significado tienen estos adjetivos. ¿Qué aporta el sufijo –izo/a?

1. Luis es muy **enamoradizo**. Debe de haber dicho cincuenta veces que ha encontrado a su pareja ideal.
▶ *Que se enamora con facilidad.*

2. Soy muy **olvidadiza**, por eso me lo apunto todo en la agenda.
▶ ....

3. Mi gato es muy cariñoso conmigo, pero cuando viene alguien a casa sale corriendo y se esconde. Es muy **huidizo**.
▶ ....

4. No sé qué le pasa María, pero estoy preocupado. Últimamente tiene un aspecto un tanto **enfermizo**.
▶ ....

5. Dani es un poco **asustadizo**. Esta película le va a dar miedo.
▶ ....

6. El sapo y la rana son animales muy **escurridizos**.
▶ ....

YA ESTÁ BIEN DE...

C.3 Karra Elejalde dice en el vídeo que no cree en los tópicos y que "ya está bien de chorradas". Imagina que te encuentras en estas situaciones. Reacciona usando ya está bien de + sustantivo/infinitivo.

	ya está bien de + sustantivo	ya está bien de + verbo
1. Tu hijo no para de llorar porque quiere que le compres un helado.		
2. Estás con dos amigos y se ponen a discutir a gritos.		
3. Alguien critica continuamente a una persona que te cae bien. Te molesta porque es una persona tímida y crees que lo que pasa es que no se esfuerzan en conocerla.		
4. Tu hijo lleva jugando a los videojuegos una hora. Es tarde y tiene que irse a dormir.		
5. Un amigo se queja todo el tiempo de todo pero nunca hace nada para mejorar su situación.		

DE BUEN ROLLO

C.4 La expresión (de) buen/mal rollo se usa a menudo con estos verbos. Selecciona el más adecuado para cada frase.

`dar` `estar` `decir/comentar` `ir` `acabar`

1. No me apetece hablar ahora, que .... de mal rollo por la nota del examen. No me esperaba un suspenso.

2. Oye, no te enfades conmigo que no te lo .... de mal rollo. Es solo que me ha molestado tu comentario y quería que lo supieras.

3. No me gustaría vivir en esta zona de la ciudad, me .... mal rollo.

4. Gloria me parece una falsa. .... de buen rollo, pero en realidad es mala persona.

5. Yo quería una ruptura amistosa, pero al final .... de mal rollo. Pepe me echaba en cara que no me estaba tomando la relación en serio y que solo estaba con él para pasar el rato.

C.5 Estas expresiones con la palabra rollo se usan mucho en España. Trata de decir lo mismo sin usar esta palabra. Haz las modificaciones necesarias.

1. ¡Qué **rollo** de peli! No aguanté ni quince minutos despierto.
▶ *¡Qué aburrimiento de peli! / ¡Qué peli más aburrida!*

2. Es muy alto, **rollo** 1,95 o así.
▶ ....

3. Marta **quiere rollo** contigo. Seguro que cualquier día de estos te pide una cita.
▶ ....

4. Me encontré con Darío y me **metió un rollo** de cincuenta minutos sobre no sé que libro que ha escrito.
▶ ....

5. Este bar **tiene rollo**. No tiene nada especial, pero me encanta.
▶ ....

6. ¿Hay huelga de taxis? ¿Y ahora cómo vamos al aeropuerto? ¡Menudo **rollo**!
▶ ....

7. Sebas no es mi novio, **es solo un rollo**.
▶ ....

TRABAJAR LA GRAMÁTICA

ESTILO DIRECTO/INDIRECTO

C.6 Aquí tienes algunos fragmentos de una entrevista al actor Karra Elejalde. Todas las respuestas del actor están en estilo indirecto. Intenta reconstruir las palabras originales del entrevistado y escríbelas en tu cuaderno en estilo directo.

ESPINOF

CARTELERA ESTRENOS CRÍTICAS SERIES TV ENTREVISTAS ESTILO BLOG ACTUALIDAD

ENCUENTRO CON **KARRA ELEJALDE**: "EL HUMOR ES UN VEHÍCULO PARA HERMANAR"

Nacido en Vitoria en 1960, Karra Elejalde debutó en el cine en 1987 con un pequeño papel en *A los cuatro vientos*, pero fue en la década siguiente cuando empezó a hacerse un nombre. Ahora vuelve a nuestros cines con *Ocho apellidos catalanes*, y con motivo de ello tuve la ocasión de asistir a un encuentro con él que os resumo a continuación.

El actor no dudó en recordar que ya sería un éxito pocas veces visto en el cine español si finalmente *Ocho apellidos catalanes* solamente lograse recaudar un tercio de lo conseguido por la primera entrega.

Sobre la recepción que ha tenido *Ocho apellidos catalanes* hasta ahora nos comentó que se habían hecho varios pases piloto y que la gente salía encantada. Hasta los periodistas les comentaban que estaba bien, que era simpática.

Eso sí, él cree que no se van a alejar mucho del nivel de la primera, pero que *Ocho apellidos catalanes* es "más película" y está más equilibrada. Además, resaltó que hay una gran cantidad de personajes con mucha enjundia para hacer disfrutar al público, que es el objetivo, ya que se trata de un sainete y no de una obra de arte.

Fuente: *www.espinof.com*

C.7 A continuación se reproducen unas declaraciones de los actores Karra Elejalde y Dani Rovira, recogidas en otra entrevista. Transfórmalas usando el estilo indirecto. Recuerda que no tienes que repetir todo textualmente, sino resumirlo manteniendo el sentido.

---

1 **¿Es más difícil hacer reír que llorar?**

Karra Elejalde: En cine, hacer llorar es relativamente fácil porque hay resortes, incluso trucos, como ponerte lágrimas artificiales, la cebolla ecológica, lo que quieras. Respecto a hacer reír, tú puedes asistir a todas las clases de técnica que quieras, pero se nace con chispa o no se nace con ella.

Dani Rovira: Pues yo creo que no (risas). A él y a mí nos resulta relativamente fácil hacer reír.

- Les pregunté si ....

- Karra y Dani no estaban de acuerdo. Karra explicó que ....

- En cambio, Dani comentó que, para Karra y para él, ...

---

2 **Cuando salen a la calle, ¿la fama es buena, es mala, complicada, aburrida, absurda, una losa, una bendición?**

K.E.: Después de *Ocho apellidos vascos*, he perdido calidad de vida, y él también. Mi economía está más saneada, pero no puedo caer en paracaídas en un pueblo de solo 200 habitantes.

D.R.: También te digo que en paracaídas no es la mejor manera de llegar discretamente a un pueblo.

- Cuando les pregunté si la fama ....

- Karra Elejalde respondió que ....

- Dani Rovira añadió, en broma, que ....

---

3 **¿Cuáles son sus sueños profesionales?**

K.E.: En lo profesional, aprender inglés por ciencia infusa.

D.R.: O por hipnosis.

K.E.: Exacto. Me gustaría saber inglés, pero no para ir a trabajar fuera, sino para currar aquí con un Robert De Niro o un Gary Oldman, y que entendieran mis chistes, sin que pensasen: "¿Qué dice este tío?".

- Finalmente, les pregunté por sus sueños profesionales.
  Karra contestó ....
  ....
  ....

- Dani se rio y respondió de manera parecida.

Fuente: *www.fotogramas.es*

D CIUDADES PRIVADAS

TRABAJAR EL LÉXICO

MUROS Y CIUDADES

D.1 Busca en el texto de la p. 78 del Libro del alumno palabras y expresiones que se refieran a muro y a ciudad privada.

muros	ciudades privadas

EL OTRO LADO

D.2 En YouTube puedes encontrar algunos reportajes y comentarios sobre la versión cinematográfica de *La zona* (Rodrigo Plá, 2007). Mira uno o dos de ellos y toma notas sobre los aspectos que se indican a continuación. Compara tus notas con las de un compañero para ver si habéis encontrado lo mismo.

Argumento de la película →
....
....

Problemas sociales de los que habla →
....
....

Otras informaciones que te parezcan importantes →
....
....

TRABAJAR LA GRAMÁTICA

ME HA SIDO POSIBLE

D.3 Lee esta frase del texto de Laura Santullo y trata de decir lo mismo con otras palabras.

"Tampoco me ha sido posible olvidar."

→ ....

D.4 Transforma la parte destacada en estas frases usando me/te/le/nos/os/les + ser + adjetivo, **como en el ejemplo.**

1. **Para ti es fácil** entender la película porque sabes inglés.

   → *A ti te es fácil entender la película porque sabes inglés.*

2. No sé de qué color pintar el salón, **para mí es indiferente.**

   ....

3. Teresa **tiene dificultad para** relacionarse con la gente. Es muy introvertida.

   ....

4. Carmen me ha dicho que intentará llegar puntual, aunque **es un poco complicado.**

   ....

5. He preguntado a Maribel y a Laura si pueden llevar a Lorena al aeropuerto, pero me dicen que **es imposible**, no pueden.

   ....

6. Estoy estudiando francés, y una cosa que **para mí es muy útil** son los audiolibros. Puedes aprender mientras haces otras cosas.

   ....

ACTUAR

FRONTERAS

D.5 Busca en internet unequal scenes y describe alguna de las imágenes que encuentres. ¿De qué se trata y qué te transmite? Compartid en clase las imágenes que habéis encontrado.

....
....
....
....
....
....

A HORARIOS ¿IRRACIONALES?

ENTRAR EN EL TEMA

MÁXIMA AUDIENCIA

A.1 Observa el gráfico y marca si las siguientes frases son verdaderas o falsas.

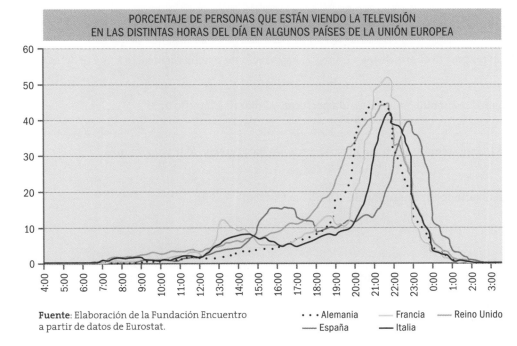

Fuente: Elaboración de la Fundación Encuentro a partir de datos de Eurostat.

• • • Alemania — Francia — Reino Unido
— España — Italia

1. En el gráfico se aprecia que la audiencia televisiva más elevada se registra en torno a las 21:30 h en Alemania, a las 21:45 h en Italia y Reino Unido y a las 22:30 h en Francia. ☐
2. En España, la máxima audiencia se alcanza en torno a las 23:00 h. ☐
3. A las 24:00 h más de un tercio de los españoles está viendo la televisión. ☐
4. Un porcentaje significativo de españoles (en torno al 15 %) se halla delante del televisor entre las 15:30 h y las 17:00 h. ☐
5. Entre las 20:00 h y las 21:00 h empieza a incrementarse el porcentaje de televidentes en los cuatro países. ☐

A.2 Corrige las frases que has marcado como falsas en la actividad anterior para que sean verdaderas.

A.3 Di si las siguientes frases podrían referirse a horarios y hábitos de gente de tu entorno.

1. Conozco a gente que se queda hasta las tantas navegando por internet y en redes sociales. ☐
2. Los problemas para conciliar el sueño de algunas personas que conozco se deben más al estrés que a los horarios. ☐
3. Lo que más afecta al rendimiento académico entre la gente que conozco es la falta de descanso. ☐
4. Conozco a gente que no descansa lo suficiente porque hace muchas horas extra en el trabajo. ☐
5. En mi entorno es bastante normal madrugar, aunque eso no provoca falta de sueño; la gente no suele arrastrar sueño porque se acuesta temprano. ☐

B RACIONALIZAR LOS HORARIOS

TRABAJAR EL LÉXICO

PALABRAS Y COMBINACIONES FRECUENTES

B.1 Responde a estas preguntas.

- ¿Hay algún **debate** que se esté **planteando** actualmente en tu país? ¿En torno a qué tema gira?

- ¿Recuerdas algún programa o serie de televisión que **haya recibido** muchas **críticas**? ¿A qué se debían?

- ¿Conoces a alguien que **concilie** muy bien **vida personal** y **laboral**? ¿Cómo lo hace?

- ¿Te gustaría que tu país **adoptara el huso horario** de algún país cercano al tuyo? ¿Por qué?

- ¿Alguna vez te has **saltado un compromiso**? ¿De qué se trataba?

B.2 ¿Qué combinaciones puedes hacer con estas palabras y los verbos destacados de la actividad anterior?

una pregunta	el sueño
una medida	intereses
una política	un problema
un semáforo	un desafío
una alternativa	un elogio
un impacto	un criterio
esfuerzos	una postura
una clase	la dieta

recibir

conciliar

saltarse

adoptar

plantear

LOS HORARIOS

B.3 Lee estas frases en las que aparece la palabra horario y tradúcelas a tu lengua. ¿Existen estas expresiones en tu idioma? ¿Hay un único equivalente a horario o se usan palabras diferentes?

1. Normalmente hago **horario partido**, pero en verano hago **horario intensivo** dos días a la semana.

2. He llamado a la gestoría, pero el responsable ya se había ido. Me han dicho que llame mañana en **horario de oficina**.

3. No me va nada bien que los bancos hagan **horario de verano**; salgo demasiado tarde del trabajo.

4. El vuelo ha llegado muy puntual, de hecho, 15 minutos antes del **horario previsto**.

5. ¿Me dejas un momento el **horario** del gimnasio? No sé a qué clase ir.

6. Carlos tiene unos **horarios** rarísimos. Lo he llamado un montón de veces y nunca está disponible.

B.4 En estas frases se usan verbos para hablar de efectos, repercusiones y consecuencias. Reescríbelas intercambiando los verbos en negrita de todas las frases. Haz las modificaciones que consideres necesarias.

1. Tomar medidas ahora **evitará** que tengamos contratiempos más adelante. → *No tomar medidas ahora conllevaría contratiempos / implicaría tener contratiempos más adelante.*

2. Los éxitos de los deportistas españoles en los últimos años **han fomentado** la práctica de deporte entre los adolescentes. ....

3. Hacer un baño en la planta de arriba **implicaría** quedarnos sin una habitación. ....

4. Las fuertes lluvias **obligaron** a suspender el desfile. ....

5. Las condiciones climáticas **han favorecido** que el piloto ganara la carrera. ....

6. Las desafortunadas declaraciones del deportista pocos días antes de la competición **han influido en** la decisión del jurado. ....

7. Lo que me **ha llevado a** aceptar el trabajo ha sido la posibilidad de trabajar desde casa. ....

8. Tener un hijo **conlleva** muchas responsabilidades. ....

9. Está demostrado que la falta de sueño **repercute en** el rendimiento escolar. ....

10. Las denuncias de los pasajeros **dieron lugar a** una indemnización millonaria por parte de la compañía aérea. ....

TRABAJAR LA GRAMÁTICA

PASADO, PRESENTE Y CONDICIONAL

B.5 Crea testimonios que expresen acuerdo o desacuerdo teniendo en cuenta la información de cada una de estas personas. Usa algunos de los verbos de la actividad anterior.

1

Julia, propietaria de una juguetería del barrio; piensa que será perjudicial para el negocio.

→ *Yo no estoy de acuerdo con esta propuesta, porque eliminar la pausa para comer supondría tener que contratar a otra persona para que se quede en la tienda mientras estoy fuera.*

2

David, periodista en un diario digital y padre soltero; piensa que puede conciliar mejor hogar y trabajo.

3

Ricardo, guía turístico; piensa que puede dañar la imagen de España en el extranjero.

4

Teresa, directora de una gran empresa; cree que puede ahorrar en electricidad.

5

Andrea, maestra de escuela; cree que puede ser muy bueno para los niños.

6

Francisco, director de una cadena de televisión; prefiere no cambiar la programación.

B.6 ¿Qué pasaría si se produjeran en tu país los siguientes cambios? Indica dos consecuencias, una positiva y otra negativa. No olvides utilizar el vocabulario que has aprendido en actividades anteriores.

1. El aumento de un 15 % de los salarios de los funcionarios.

   + _____

   − _____

2. La reducción de los impuestos al consumo de alcohol.

   + _____

   − _____

3. El aumento de la inversión en investigación y tecnología.

   + _____

   − _____

4. La privatización total de la sanidad pública.

   + _____

   − _____

5. La creación de un impuesto obligatorio de solidaridad para ayudar a países menos desarrollados.

   + _____

   − _____

6. El establecimiento de límites al consumo privado de energía.

   + _____

   − _____

7. La relajación de algunas medidas de prevención de enfermedades, como las vacunas.

   + _____

   − _____

8. La prohibición de desplazamiento en transporte motorizado un día a la semana.

   + _____

   − _____

9. El aumento del control del libre acceso a internet.

   + _____

   − _____

B.7 Elige la continuación lógica a estas frases.

1. El bajo nivel salarial **obliga a que**, en muchas familias,...

   ☐ **trabajen** todos los miembros que están en edad de hacerlo.

   ☐ **trabajasen** todos los miembros que están en edad de hacerlo.

2. Votar por un partido u otro no **hará que**...

   ☐ las cosas **mejorasen** en el futuro.

   ☐ las cosas **mejoren** en el futuro.

3. Un cambio muy abrupto en los horarios laborales **provocaría que**...

   ☐ los trabajadores **saldrán perdiendo** en el necesario ajuste salarial.

   ☐ los trabajadores **salieran perdiendo** en el necesario ajuste salarial.

4. La hipotética reforma de la ley de enjuiciamiento criminal **obligaría a que**...

   ☐ se **proteja** la imagen de los detenidos durante su arresto.

   ☐ se **protegerá** la imagen de los detenidos durante su arresto.

5. Una aplastante mayoría absoluta **nos llevará a que** el gobierno...

   ☐ **adquiera** un poder inmenso e imponga sus criterios.

   ☐ **adquiere** un poder inmenso e imponga sus criterios.

PERÍFRASIS CON ACABAR

B.8 Relaciona estas frases con el sentido que tienen las expresiones destacadas en negrita.

1. Cuando no puedo dormir pongo la tele y **acabo viendo** unos programas malísimos.

2. **Acabo de ver** este programa y preparamos la cena, ¿vale?

3. **Acabo de ver** un programa buenísimo sobre cine.

A. Ha finalizado la acción hace un momento.

B. Al final se ha realizado la acción.

C. Se pone fin a una acción.

B.9 Transforma las frases usando una de las perífrasis anteriores.

1. La conferencia ha empezado hace nada, seguro que nos dejan entrar.

   ⟶ _____

2. Por fin me has hecho caso y has ido al médico.

   ⟶ _____

3. Cuando ya no esté cocinando hablamos. Ahora estoy ocupado.

   ⟶ _____

4. Al principio Julio no quería acompañarme a la inauguración, pero después de insistir mucho, le convencí y fuimos.

   ⟶ _____

C ¿TRABAJAMOS DEMASIADAS HORAS?

TRABAJAR EL LÉXICO

IMPERATIVOS LEXICALIZADOS

C.1 Lee estas frases y relaciónalas con lo que expresa el imperativo destacado en cada una. Un valor se repite.

1. *Anda, ¿qué haces aquí? Pero si yo creía que estabas aún en la escuela.*
2. *¿Que has aprobado todos los exámenes? ¡Anda ya!*
3. *Échame una mano, anda, que no puedo con estos ejercicios de gramática.*
4. *Mira que perder el libro de matemáticas...*
5. *¿Te has quedado sin poder irte de vacaciones? Vaya, sí que lo siento.*
6. *Vaya con el niño, ha ganado un concurso de poesía y no sabíamos ni que escribía.*
7. *Vaya faena; el profesor nos ha puesto un examen el lunes, estaremos todo el domingo estudiando.*
8. *Vamos, termínate la sopa.*

A. *Expresar pena.*
B. *Expresar incredulidad ante una información.*
C. *Reaccionar ante algo que no responde a nuestras espectativas.*
D. *Anima a actuar.*
E. *Reprochar.*
F. *Expresar sorpresa.*
G. *Equivale a **tan grande**.*

¿AGOBIADO O AGOBIANTE?

C.2 Relaciona estos adjetivos con su significado.

saciado/a   saciante   fulminado/a   fulminante   alarmado/a   alarmante   delirante   determinante   creído/a   creyente

1. Destruido o fuertemente dañado: ....
2. Que profesa una religión: ....
3. Que ya no tiene cierta necesidad física: ....
4. Que está asustado, sobresaltado: ....
5. Que se muestra excesivamente orgulloso de su propia valía y superioridad: ....

6. Súbito, muy rápido: ....
7. Que calma el hambre o la sed: ....
8. Que inquieta o perturba: ....
9. Disparatado, surrealista: ....
10. Que concluye, taxativo: ....

C.3 Responde a estas preguntas.

- ¿Conoces a alguna **persona** que te parezca **cortante**? ¿Cómo reaccionas ante sus comentarios?

- ¿Qué **comidas** o **bebidas** te parecen especialmente **saciantes**?

- ¿Cuándo ha sido la última vez que te has dado **un masaje** o **un baño relajante**?

- ¿Ha ocurrido algún **suceso alarmante** en el mundo en los últimos tiempos?

- ¿Eres una persona de **humor cambiante**? ¿Hay algo que cause esos cambios?

- ¿A quién le echarías una **mirada fulminante**? Si quieres, explica por qué.

- ¿Qué **actitud** o **comportamiento** de la gente te parece **cargante**?

TRABAJAR LA GRAMÁTICA

COMO + SUBJUNTIVO/INDICATIVO

C.4 Conjuga los verbos entre paréntesis en el tiempo y modo correctos.

1. Llevan una hora de retraso. **Como no** (empezar) .... ya el concierto, me voy.

2. No sé qué querrá decirme el jefe. **Como no** (ser) .... por el error que había en el informe...

3. **Como** aún **no** (saber) .... nada del resultado de la negociación, no podemos decidir cuál será nuestro siguiente paso.

4. Te lo advierto, **como** (volver) .... a llegar tarde, no te espero.

5. El director me dijo que **como** (volver) .... a meterme con mis compañeras, me expulsaría.

6. **Como no** (darse) .... prisa, vamos a perder el tren.

7. **Como no** (ir) .... en coche, no sé cómo vamos a llegar... Es un sitio bastante inaccesible.

8. **Como** (tener) .... tiempo, podemos tomar un café antes de que salga el tren.

9. **Como** me (ascender) .... en el trabajo, os invito a todos a una ronda.

10. **Como** Eric (desaparecer) .... otra vez a la hora de pagar, no volveré a proponerle que venga con nosotros.

HASTA

C.5 Reacciona usando hasta, como en el ejemplo.

1. —Tú te has leído este libro, ¿verdad? ¿Es bueno?

   — *Sí. Hasta a mi hermana, que no lee nada, le ha encantado.*

2. —No sé si acompañarte al curso de cocina japonesa. Es que no sé cocinar...

   —

3. —No me atrevo a hacer *puenting*, de verdad, me da mucho miedo.

   —

4. —¡Qué calor hace! Es insoportable.

   —

5. —Qué alta tiene la tele tu vecino, ¿no?

   —

O BIEN... O BIEN

C.6 Escribe dos interpretaciones de los hechos que se describen en las frases usando o bien... o bien.

1. Un alumno tuyo que es muy estudioso y responsable no ha hecho los deberes de clase.

   • ¡Qué raro! ....

2. Tu profesor del curso de español, que es especialmente puntual, aún no ha aparecido, lleva más de 15 minutos de retraso.

   • Pues no sé ....

3. Este semestre, la matrícula del curso de español es un 15 % más cara que el semestre pasado y la escuela, en contra de lo que es habitual, no te lo ha notificado.

   • ....

4. Te preguntan qué tipo de alojamiento se puede encontrar en tu ciudad para pasar unos días de vacaciones.

   • ....

O bien no puede cambiarlo, **o bien** es incapaz, **o bien** no tiene las herramientas para hacerlo.

D ¡HORARIOS RACIONALES YA!

TRABAJAR EL LÉXICO

COMBINACIONES DE PALABRAS

D.1 Responde a estas cuestiones o da la información que se pide.

- Una cosa **a** la que la gente le **da** mucho **valor**, pero para ti no lo tiene. ....
- La última vez que **hiciste uso de** tus derechos como ciudadano. ....
- ¿De quién es la responsabilidad de **educar en valores** a los niños? ....
- Algo que has querido hacer pero que no **has llevado a la práctica**. ....
- ¿Qué instituciones que conoces **tienen como objetivo** ayudar a la gente? ....

HACER SUYO

D.2 Traduce estas frases a tu lengua. ¿Existe una expresión como hacer suyo?

1. Matías se inspira mucho en sus viajes para crear sus diseños. Ve telas, tejidos y estampados típicos de otras culturas y los **hace suyos**.

   > ....

2. Qué bien cantó María la canción de Adele. La **ha hecho suya** y le ha dado su estilo.

   > ....

3. El secretario del partido **ha hecho suya** la tesis de que la crisis ha empeorado las condiciones laborales de los trabajadores, tesis que había rechazado anteriormente en repetidas ocasiones.

   > ....

4. La esperanza es lo último que se pierde. Un dicho que el equipo **ha hecho suyo** en esta jornada de la Liga de Campeones.

   > ....

5. El descubrimiento de esta vacuna es esperanzador, pero eso no justifica que las empresas farmacéuticas lo **hagan suyo** para conseguir beneficios económicos.

   > ....

DEFINICIONES

D.3 Explica los siguientes conceptos con tus propias palabras.

- principio ético: ....
- calidad de vida: ....
- horarios comerciales: ....
- tareas domésticas: ....
- rendimiento escolar: ....
- jornada laboral: ....
- vida privada: ....

TRABAJAR LA GRAMÁTICA

CONCORDANCIA

D.4 Lee esta frase y marca la opción correcta.

"La Comisión Nacional para la Racionalización de los Horarios Españoles invita a la ciudadanía a que **hagan** suyo este manifiesto, lo **firmen** y lo **difundan**."

☐ El uso del plural es correcto porque **ciudadanía** es un nombre colectivo.

☐ El uso del plural no es correcto porque **ciudadanía** es un nombre singular, aunque haga referencia a un colectivo.

PREPOSICIONES REGIDAS

D.5 Completa las siguientes frases con la preposición adecuada.

1. La Administración **dispone** .... un plazo de 15 días para cursar las órdenes de pago de las devoluciones del IRPF.

2. La comisión también **dialogará** .... los candidatos a alcaldes de Tegucigalpa, y finalmente publicará una serie de conclusiones y recomendaciones.

3. La juez **se ha interesado** .... esta documentación tras conocer que varios técnicos de Urbanismo del Ayuntamiento tuvieron relación con la concesión de esta licencia.

4. En el "Manifiesto de Madrid", un texto a favor de las víctimas del terrorismo, se reclama una serie de medidas para que los poderes públicos, los medios y la sociedad civil mejoren su **atención** .... los afectados.

5. La demanda **se sustenta** .... el artículo 227 del Código Electoral, que establece el derecho de los partidos contendientes a repartir propaganda.

6. La crítica **se basa** .... que, a juicio del Consejo Superior de Justicia, el acuerdo debe ser ratificado por todos los trabajadores.

7. La semana pasada hubo una reunión en la que el ministro explicó que la metodología aplicada por el organismo competente **se ajusta** plenamente .... los parámetros internacionales.

8. Sería deseable la creación de una zona de libre comercio, que **ayudaría** .... lograr el desarrollo socioeconómico de la zona.

9. Los socialistas ya se han mostrado abiertos a un acuerdo, pero han dejado claro que cualquier compromiso **pasaría** .... la aceptación de su programa electoral.

10. En materia de **igualdad** .... hombres y mujeres, Colombia ocupa el puesto 38 a nivel mundial y el tercero a nivel regional detrás de Costa Rica y Uruguay, país que se ubica en el puesto 26 a nivel mundial.

ACTUAR

MANIFIESTO POR UNOS HORARIOS RACIONALES

D.6 Escribe un correo electrónico a ARHOE explicando por qué vas a firmar o no el manifiesto. En el correo debes:

- saludar,
- hacer referencia al manifiesto y a las ideas que presenta,
- citar la información de que dispones y citar tus fuentes,
- citar las ideas vertidas en el texto y expresar tu posición al respecto,
- comparar con lo que pasa en tu país,
- como conclusión, presenta tu decisión,
- despedirte.

COMISIÓN NACIONAL PARA LA RACIONALIZACIÓN DE LOS
HORARIOS ESPAÑOLES

i de identidad

A ASÍ SOY, ASÍ ME VEN

ENTRAR EL TEMA

QUIÉN SOY

A.1 Lee estas frases y marca aquellas en las que te ves reflejado.

1. Mis profesores **me veían como** una persona poco trabajadora y rebelde. ☐
2. Mis padres **tienen una imagen de mí** muy idealizada. ☐
3. Mis amigos **me consideran una persona** muy tranquila. ☐
4. Mis conocidos a veces **me toman por** loco/a. ☐
5. La gente que me conoce poco **se hace una idea** equivocada de mí. ☐

A.2 Reescribe las frases de A.1 que no has marcado para que hablen de tu realidad.

....

....

....

....

....

⚙ **A.3** Fíjate en la ficha del verbo **caracterizar** y elabora en tu lengua las correspondientes a **definir, considerar** e **identificar.**

- **Me caracterizo por** ser una persona muy carismática, alegre y respetuosa.
- Lo que más **caracteriza a** Miguel es su estupidez.
- En la película *El curioso caso de Benjamin Button*, **caracterizaron** muy bien a Brad Pitt, tanto cuando es joven como cuando es mayor.

- **caracterizarse por algo**
  ❯ essere conosciuto per
- **algo caracteriza algo o a alguien** ❯ caratterizzare
- **caracterizar a alguien** ❯ caratterizzare

CARACTERIZAR(SE)

DEFINIR(SE)

- Yo **me defino como** fotógrafo de la calle: intento captar la autenticidad de la gente y de su día a día.
- Tenemos que reunirnos para **definir** los plazos y la organización del proyecto.
- Delacroix **definió** la música como la voluptuosidad de la imaginación.
- Edurne, el dibujo está bien, pero **define** un poco mejor los bordes para que quede más limpio.

....

....

....

....

CONSIDERAR

- **Consideraremos** su candidatura cuando finalice el proceso de selección.
- El agente inmobiliario me ha sugerido que no **considere** ofertas por la casa inferiores a 300 000 €.
- ¿Cómo se te ha podido olvidar pagar el alquiler? Te **consideraba** una persona más responsable, la verdad.

....

....

....

....

IDENTIFICAR(SE)

- Esta película me conmovió. **Me identifiqué** mucho **con** la protagonista.
- ¿Con qué **identifico** Argentina? No sé, con el fútbol, el tango y el dulce de leche, por ejemplo.
- La policía **ha identificado** al atacante gracias a las cámaras de seguridad.
- Si la policía te pide que **te identifiques**, tienes que hacerlo. Negarse es delito.

....

....

....

....

B PANTALLAS QUE REFLEJAN NUESTRA PERSONALIDAD

TRABAJAR EL LÉXICO

EL ORDENADOR

B.1 Observa estas palabras y expresiones relacionadas con el ordenador y trata de traducirlas a tu lengua. Luego, añade otras expresiones para cada categoría.

PARTES Y ELEMENTOS DEL ORDENADOR

- la pantalla ❯ ....
- el teclado ❯ ....
- el disco duro ❯ ....
- ....
- ....
- ....
- ....
- ....
- ....

MANEJAMOS EL ORDENADOR: SUSTANTIVOS

- el cursor ❯ ....
- el icono ❯ ....
- la pestaña ❯ ....
- la barra de herramientas ❯ ....
- la barra de direcciones ❯ ....
- el navegador ❯ ....
- la bandeja de entrada/salida ❯ ....
- la página de inicio ❯ ....
- ....
- ....

MANEJAMOS EL ORDENADOR: ACCIONES HABITUALES

- guardar/eliminar un documento o archivo ❯ ....
- hacer clic / clicar ❯ ....
- formatear ❯ ....
- sincronizar ❯ ....
- (des)comprimir ❯ ....
- (des)activar (la geolocalización) ❯ ....
- (des)bloquear ❯ ....
- (des)configurar(se) ❯ ....
- colgarse ❯ ....
- ....
- ....

B.2 Piensa para qué usas tu ordenador, tableta o móvil y a qué otros objetos sustituye. Escribe frases como en los ejemplos.

1. Lo uso como televisor para ver películas.
2. Como radio mientras hago cosas en casa.
3. ....
4. ....
5. ....
6. ....
7. ....
8. ....
9. ....
10. ....

EL CARÁCTER

B.3 Completa las frases con los siguientes verbos conjugados en el tiempo correcto.

`ocultar` `usurpar` `mostrar` `reflejar` `construir`
`imitar` `moldear`

1. No sé por qué, pero siempre tengo la sensación de que Laura no .... su verdadera personalidad. Hay algo en ella que me hace sentir incómoda.

2. La adolescencia es una etapa importantísima a la hora de .... tu propia personalidad.

3. Hoy en día, con internet y las redes, se ha convertido en un delito común .... la personalidad.

4. No trates de .... tu personalidad. Tienes que mostrarte y dejar que te conozcan.

5. Los genes y la dimensión social forman y .... la personalidad.

6. A veces, ... la personalidad de alguien se hace de manera inconsciente. Suele pasar cuando compartes mucho tiempo con alguien con una personalidad fuerte.

7. Su manera de vestir .... perfectamente su personalidad.

B.4 Escribe frases sobre la personalidad de personas que conozcas o de personajes famosos. Puedes usar estos adjetivos que se combinan habitualmente con la palabra personalidad u otros recursos.

`de hierro` `dominante` `arrasadora` `cambiante`
`arrolladora` `magnética` `fuerte`

➡ *Para mí, David Bowie era una persona con una personalidad cambiante y magnética. Irradiaba genialidad.*

....

....

....

....

....

....

B.5 En los siguiente diálogos escoge la opción que te parece más adecuada y continúa la frase para ayudar a que tenga más sentido tu elección.

1. Si te ofrecieran cucarachas para comer, ¿las probarías?
   ☐ ¡Claro! ¡Yo soy de los que cogen el toro por los cuernos!
   ☒ ¡Claro! ¡Yo no tengo manías!
   ➡ *Como de todo.*

2. ¿Llamamos para confirmar la reserva del restaurante?
   ☐ Sí, más vale ir sobre seguro.
   ☐ Sí, más vale arriesgarse.
   ➡ ....

3. He decidido que voy a dejar mi trabajo para abrir mi propio negocio.
   ☐ Hombre, ¡felicidades! Por fin te tiras a la piscina.
   ☐ Hombre, ¡felicidades! Por fin vas con pies de plomo.
   ➡ ....

4. ¿Tener hijos? Me gustaría, pero me da mucho respeto.
   ☐ Pues deberías dejar atrás los miedos y lanzarte.
   ☐ Pues deberías saltarte las normas y lanzarte.
   ➡ ....

5. ¿Sabes si Mario aceptó el trabajo en Australia?
   ☐ No, en el último momento se echó para atrás.
   ☐ No, en el último momento se tiró a la piscina.
   ➡ ....

6. María no sabe que su ex se ha casado, ¿verdad? ¿Crees que deberíamos decírselo?
   ☐ Sí, pero es muy sensible, más vale ir con pies de plomo.
   ☐ Sí, pero es muy sensible, más vale no pensárselo dos veces.
   ➡ ....

B.6 Describe el comportamiento de personas con las siguientes características. Pon ejemplos concretos.

- maniático/a: *es un tipo de persona a la que le gusta hacer las cosas siempre de la misma manera y en el mismo orden. Por ejemplo, mi compañero de piso se enfada si me siento en su silla a la hora de comer.*

- organizado/a: ....
  ....

- exigente: ....
  ....

- inseguro/a: ....
  ....

- metódico/a: ....
  ....

- puntilloso/a: ....
  ....

- meticuloso/a: ....
  ....

- decidido/a: ....
  ....

B.7 Una página web ha publicado una lista de los personajes favoritos de algunos usuarios. Lee el ejemplo y escribe sobre tu personaje favorito.

SHELDON COOPER (The Big Bang Theory)

Me encanta este personaje. Es un chico inteligente, él lo sabe y no duda en hacérselo saber a todo el mundo. Es muy divertido y, aunque es muy egoísta, en el fondo es una gran persona. Es un inadaptado que tiene una forma de ser muy particular: extrañas manías, miedos, cosas sagradas... y es un friki total: por ejemplo, es tan fan de Star Trek que domina la lengua de los klingon (una raza de humanoides de la serie).

HABLAR DE HABILIDADES

B.8 Marca con + o − si las expresiones de estas frases tienen un sentido positivo (tener facilidad, ser bueno en algo) o negativo (tener dificultad, ser malo en algo).

1. Marta **es una crac de** la informática. ☐
2. Mi hermano **es un hacha con** la mates. Ya de pequeño le encantaba resolver problemas. ☐
3. **Soy una negada para** los números. Siempre que tengo que calcular algo, uso la calculadora. ☐
4. Mi primo **es un lince para** los negocios. Siempre sabe cuándo es el momento de invertir y en qué. ☐
5. No me queda más remedio que **ser una manitas**; vivo sola, así que si algo se estropea en casa tengo que saber arreglarlo. ☐
6. Mis compañeros de piso **son unos manazas**; rompen todo lo que tocan. ☐
7. Me presento a un examen de inglés mañana y **estoy pez en** vocabulario. ☐
8. Un amigo mío de la infancia **es un as del** tenis. Incluso ha ganado varias competiciones internacionales. ☐
9. Cuando Laura habla de economía se nota que **es muy ducha en** el tema. No como Luis, que no tiene ni idea... ☐
10. Empecé a trabajar en esta escuela hace 15 años, así que **tengo el culo pelado de** preparar clases. ☐
11. Ana estudió Psicología Infantil y además **tiene buena mano** con los niños. ☐
12. Voy a preguntarle a Andrea qué le parece el vestido, que **tiene muy buen ojo para** la ropa y seguro que me podrá aconsejar. ☐

B.9 Escoge cinco de estas expresiones y escribe tus ejemplos.

ser un/a crac   ser un hacha   ser un/a negado/a (para)
ser un lince   ser un/a manitas   ser un/a manazas
estar pez (en algo)   ser un as (en/de algo)   ser/estar ducho/a (en)
tener el culo pelado de   tener buena mano con
tener (buen/mal) ojo (para)

1. ....
....
2. ....
....
3. ....
....
4. ....
....
5. ....

C ESPAÑA VISTA DESDE FUERA

MARCA ESPAÑA

C.1 Haz una lista de valores que, en tu opinión, un país debería querer asociar con su imagen.

- La democracia.
- La modernidad, pero a la vez el respeto por las tradiciones: saber integrar lo moderno con lo tradicional...

C.2 Piensa en tu país y decide si las siguientes afirmaciones son verdaderas (V) o falsas (F). Luego, transforma las falsas en verdaderas y añade una información más.

1. Tiene una imagen muy tradicional. ☐
2. Tiene fama de país muy seguro. ☐
3. Proyecta una imagen moderna. ☐
4. Se ha ganado la fama de ser un país en el que se trabaja mucho. ☐
5. Arrastra, desde hace décadas, la fama de paraíso fiscal. ☐
6. Ha visto deteriorada su imagen últimamente por una serie de escándalos políticos. ☐

LA IMAGEN Y LA FAMA

C.3 Lee estas frases y elige la opción correcta.

1. La vida personal de los políticos puede afectar a su imagen **poética/pública**.
2. Los periódicos partidistas suelen ofrecer una imagen **sesgada/auténtica** de la realidad.
3. Las metáforas son imágenes **tradicionales/poéticas** de la realidad.
4. Las acusaciones de corrupción **han arrastrado/han devastado** la imagen del Gobierno.
5. Quiere parecer moderno, pero se viste con ropa del siglo pasado y **hunde/proyecta** la imagen contraria.
6. La joven actriz **ha proyectado/ha roto** con su imagen de ídolo infantil y se ha convertido en uno de los rostros más destacados de la escena *indie*.
7. Las críticas aparecidas en los medios han hecho que la imagen del presidente se viera muy **perjudicada/ganada**.
8. La nueva ministra **proyecta/pierde** una imagen de autoridad y saber hacer.
9. El actor **ha hundido/se ha ganado** su fama de seductor gracias a los personajes de galán irresistible en sus últimas películas.
10. Sus polémicas declaraciones y los escándalos con los que se le ha relacionado recientemente, **han hundido/han proyectado** la fama del actor.

C.4 Piensa en ejemplos concretos de estas cosas y escríbelos.

- Un/a político/a que tiene mala fama:

- Un/a famoso/a que se ha construido una imagen de persona problemática:

- Un/a cantante que tiene fama de rebelde:

- Una persona que, difícilmente, pueda limpiar su imagen:

- Un país que tiene mala fama:

OBSERVAR EL DISCURSO

EL SECRETO SUECO

C.5 Lee el artículo que cuenta qué es el "fika" y contrasta ideas concretas del texto con lo que ocurre en tu país. Toma notas en tu cuaderno.

≡ EL PAÍS   **BUENA**VIDA

El secreto de los suecos para ser los mejores en su trabajo sin agobiarse se llama "fika"

Otra lección de vida del país escandinavo.
O por qué deberíamos asumir que un empleado tomando un café también está trabajando

ALEJANDRO TOVAR - 28 ABR 2017 - 13:40 CEST

"'Fika' es un fenómeno social. Es tomarse un café o un té, pero también es una razón para socializar y disfrutar de un momento de calidad con los compañeros de trabajo". Así define este sello cultural Emelie Gallego, agregada cultural de la embajada de Suecia en España. Y se trata de una realidad tan impresa en el alma de los suecos que son las propias direcciones de las empresas las que promueven estos descansos. Aunque no haga falta. Como afirma Israel Úbeda, responsable de prensa y redes sociales de VisitSweden en España, "más que proponerlo, es algo que pertenece a la personalidad de los suecos y las compañías. Porque, al fin y al cabo, las forman personas con sus idiosincrasias". Y Úbeda añade: "Los suecos aman el café y las pastas y por ello parece lógico que en un sitio donde vas a pasar horas cada día tengas una breve pausa para estirar las piernas, conversar con los colegas y disfrutar de dulces, fruta o un pequeño tentempié". Todo, gentileza de la empresa. [...]

Gallego lo explica: "Ese ambiente más familiar fortalece los lazos entre los compañeros, pero también los directores están presentes. La cultura empresarial en Suecia es, en general, bastante cercana y poco jerárquica". Por eso también jefes y coordinadores se suman a estas "paradas técnicas", buscando que entre todos, en esos momentos de relax, se puedan alumbrar mejores ideas para solucionar los asuntos que les ocupan frente al ordenador.

D IMAGEN E IDENTIDAD EN LAS REDES SOCIALES

OBSERVAR EL DISCURSO

DESARROLLO Y CAMBIO

D.1 Escribe frases con estas expresiones para hablar de cambios.

> ir camino de   convertirse en   pasar de... a   rebasar... para + infinitivo

1. ....
....
....

2. ....
....

3. ....
....
....

4. ....
....

D.2 Lee estas frases y marca para qué sirven los recursos destacados en negrita.

1. "**Ya no** se concibe como una variante del recogimiento, **sino** como una forma de exhibición."
2. "**Si bien** está rodeado de signos informales, nunca es accidental."
3. "**A pesar de** las apariencias, estas fotos tienen poco que ver con la espontaneidad."
4. "Hemos pasado del dandi impasible, que trataba de crear la sorpresa permanente para distanciarse de la multitud, al triunfo del encuadre, **no solo** sobre la realidad, **sino** sobre la identidad."
5. "**Es menos** una cuestión de narcisismo **que** de voluntad de dominio."
6. "**Nunca** vimos ese *selfie*, **sino** la imagen que mostró cómo se tomaba."
7. "En un autorretrato pictórico el artista quiere **menos** ofrecer su imagen **que** su arte."

- ☐ Expresar cambio
- ☐ Contraponer ideas
- ☐ Introducir un ejemplo

D.3 Transforma los siguientes enunciados que hablan sobre las nuevas tendencias en tiendas usando alguno de los recursos de las actividades D.1 y D.2.

1. Comprar por internet empezó siendo anecdótico, pero ahora es la principal fuente de ingresos de las grandes compañías.
   → *Las compras por internet han dejado de ser la excepción para convertirse en la principal fuente de ingresos de las grandes compañías.*

2. La gente va a una tienda a mirar y pasar el rato, no a comprar.

3. Las nuevas tendencias marcan repensar el concepto de tienda, pero las tiendas no desaparecerán.

4. Los expertos dan valor a la compra pero dan más valor a que el cliente viva una experiencia o un momento memorable en la tienda.

5. Según los expertos, a los clientes les atrae la comida, más que los probadores interactivos o las pantallas de plasma.

6. Sumar un espacio de restauración a un establecimiento de moda no resulta novedoso. Una de las primeras en aunar comida y moda en un mismo espacio fue Carla Sozzani con su famosa 10 Corso Como.

7. Los vendedores necesitan ofrecer algo más que producto porque solo eso no es suficiente.

8. Los grandes comercios necesitan incrementar el tiempo de permanencia de los clientes y dar un motivo para visitar sus centros.

DESCRIBIR UNA IMAGEN

D.4 Marca y completa qué tipos de fotos tienes (en tu móvil, en tus álbumes...).

		muy pocas	bastantes	muchas
De ti	en primer plano			
	de frente			
	de perfil			
	de medio cuerpo			
	de cuerpo entero			
En grupo				
De paisajes				
De gente				

D.5 🎧 12 **Escucha y completa la conversación con las palabras o expresiones que faltan.**

● ¿Y esta foto? ¡Es una pasada!

○ Sí, es muy bonita. La verdad es que **1**..

● ¿La has hecho tú?

○ No, un amigo...

● Es que me encanta la escena, **2**... todo. Además,

3... placidez, de buen rollo...

○ Sí, yo creo que es por **4**.., ¿no? Está hecha en un

pueblo de Girona, pero parece que estemos en la sabana africana.

● Es que ese cielo tan azul, con nubes, que **5**... casi

toda la **6**..., le **7**... Y

parece que se estén moviendo las nubes, ¿no? ¿Y ese grupo de gente que **8**...

sois vosotros?

○ Sí, íbamos de excursión.

● ¿Y llegasteis hasta las montañas estas que se ven **9**...?

○ Sí, a ver... No **10**... por la **11**..., pero no estábamos tan lejos de las montañas.

● Caray... Bueno, pues felicita a tu amigo porque le ha salido una foto de premio, de profesional: **12**...,

el encuadre, todo... Y el hecho de que la gente no **13**... para la foto también es un puntazo.

○ Sí, es que cansa un poco lo de todo el mundo posando. A mí también me gusta mucho porque creo que **14**...

un momento muy bonito de la excursión. De hecho, se la he enviado como recuerdo a todos los que estábamos.

D.6 Describe brevemente cada una de las fotos.

M de memoria

A RECUERDOS DE INFANCIA

TRABAJAR EL LÉXICO

¿TE ACUERDAS?

A.1 Piensa y escribe...

COSAS QUE TE SABES DE MEMORIA	EXPERIENCIAS QUE NUNCA OLVIDARÁS	PALABRAS O DATOS QUE RECUERDAS PERFECTAMENTE
-el número de teléfono de mi hermana		

A.2 Fíjate en cómo hemos resumido en esta ficha las diferencias de significado y de forma del verbo aprender(se). Haz lo mismo con olvidar(se), saber(se) y recordar. Traduce a tu lengua o a una que conozcas bien.

APRENDER(SE)
- **Aprendí** francés en la Universidad.
- Los niños **aprenden** mejor jugando.
- **Aprendí a** nadar siendo muy pequeña.
- **Me he aprendido** de memoria el poema.

- aprender (algo) ❯ *to learn (something)*
- aprender a + infinitivo ❯ ***to learn to** + Infinitive*
- aprender (algo) + gerundio ❯ ***to learn by** + Gerund*
- aprenderse (algo concreto) (de memoria) ❯ ***to learn something off by heart***

SABER(SE)
- Mi hijo tiene tres años y ya **sabe** nadar.
- Hola, Miguel. **Supe por** Carlota que has sido padre. ¡Enhorabuena!
- Sofía **supo del** ascenso por una compañera. Todavía no es oficial.
- No **sé** nada **de** Luis desde hace semanas.
- Mi película favorita de la infancia es *La princesa prometida*. **Me sé** los diálogos de memoria.

→ Saber algo ❯ to know something.

RECORDAR
- **Recordad** que hemos quedado a las 6. No lleguéis tarde.
- **Recuérdame** que compre leche, que se nos ha acabado.
- Tengo un compañero de trabajo que me **recuerda** mucho a un profesor que tuve.

→ Recordar algo ❯ to remember something.

OLVIDAR(SE)
- **Olvidé** por completo que habíamos quedado, disculpa.
- **Me he olvidado de** tender la ropa y ahora voy a tener que lavarla otra vez.
- **Se me olvidó** avisar a Julia de que se pospone la reunión.

→ Olvidar algo ❯ to forget something.

A.3 **Di con tus palabras y traduce a tu lengua las expresiones destacadas en estas frases.**

1. He visto hace poco una película que de pequeña me encantaba y no me acordaba de casi nada. **Tenía una laguna mental** enorme.
   > lo había olvidado, no me acordaba
   > memory lapse, mental gap

2. ¿Cómo se llama el director de la película *La gran belleza*? Ay, **lo tengo en la punta de la lengua**, pero no me sale.
   > ....
   > ....

3. He estudiado mucho para el examen, pero me da miedo ponerme nervioso y **quedarme en blanco**.
   > ....
   > ....

4. Recuerdo como si fuera ayer la primera vez que vi el mar. **Se me ha quedado** la imagen **grabada** en la memoria.
   > ....
   > ....

5. Para lo mayor que es mi bisabuelo, **tiene una memoria de elefante**.
   > ....
   > ....

6. ¡Ay! Otra vez se me ha olvidado traerte el libro... La próxima vez que quedemos, mándame un mensaje recordándomelo. Es que **tengo memoria de pez**.
   > ....
   > ....

7. **Recuerdo** ese día, pero muy **vagamente**. No me acuerdo de dónde estábamos exactamente ni de quién había.
   > ....
   > ....

8. Javi, he buscado el pasaporte por toda la casa y no lo encuentro. A ver, **haz memoria**: ¿dónde dejaste los otros documentos cuando volvimos de Japón?
   > ....
   > ....

9. Estos niños que se han hecho famosos de pequeños con películas o series, acaban **cayendo en el olvido** y pocas veces se vuelve a saber de ellos.
   > ....
   > ....

10. Estando en el zoo **me vino a la memoria** esa vez que fuimos de excursión al campo y vimos jabalíes. ¡Qué miedo pasamos!
    > ....
    > ....

11. Tengo un **recuerdo** muy **nítido** de mi abuela, aunque ya hace años que falleció.
    > ....
    > ....

12. ¿Te imaginas que pudiéramos hacer como en esa película y **borrar de la memoria** todos nuestros recuerdos?
    > ....
    > ....

B. UNA PELÍCULA SOBRE LA DICTADURA ARGENTINA

TRABAJAR EL LÉXICO

CINE

B.1 ¿En qué consiste el trabajo de estas personas? Usa las palabras de las etiquetas y escribe frases, como en el ejemplo. Haz las modificaciones necesarias.

filme   aparición

fotografía   dirección

protagonizar

género   encarnar a

trama   secuencia

puesta en escena

- una directora de cine: *asume la dirección de una película, es la responsable última del filme.*

- una actriz: ....

....

- un guionista: ....

....

- un director de fotografía: ....

....

HISTORIA

B.2 Relaciona cada palabra con su definición.

genocidio **1**	**A** Detención y retención por la fuerza de una o varias personas para exigir dinero u otra contraprestación a cambio de su liberación.
dictadura **2**	**B** Privación de libertad en manos de un enemigo.
huir **3**	**C** Gobierno que prescinde del ordenamiento jurídico para ejercer la autoridad sin limitaciones en un país y cuyo poder se concentra en una sola persona.
detenido **4**	**D** Persona privada provisionalmente de libertad por una autoridad competente.
secuestro **5**	**E** Grave dolor físico o psicológico infligido a alguien como castigo o como método para que hable o confiese.
militante **6**	**F** Matanza de personas, por lo general indefensas.
tortura **7**	**G** Exterminio sistemático de un grupo social por motivo de raza, de etnia, de religión, de política o de nacionalidad.
masacre **8**	**H** Persona que pertenece a determinada ideología, grupo o partido político.
cautiverio **9**	**I** Apartarse de alguien o de algo deprisa para alejarse de un peligro.

B.3 Escribe una frase de ejemplo con cada una de las palabras anteriores.

1. ....

2. ....

3. ....

4. ....

5. ....

6. ....

7. ....

8. ....

9. ....

FAMILIAS DE PALABRAS

B.4 Fíjate en el ejemplo y completa la tabla.

Verbo	Persona que realiza la acción.	Persona sobre la que se produce la acción.	Acción
✗	genocida	víctima de un genocidio	genocidio
✗		✗	dictadura
huir		✗	
	✗	detenido/a	
	✗	desaparecido/a	
	sobreviviente (superviviente)	✗	
			traición

Verbo	Persona que realiza la acción.	Persona sobre la que se produce la acción.	Acción
			secuestro
	militante	✗	
			tortura
	✗		masacre
		✗	fuga
	✗		cautiverio

PALABRAS EN COMPAÑÍA

B.5 Escribe una definición para estos conceptos.

- frase hecha: ....
- juicio de valor: ....
- novela autobiográfica: ....
- fuerzas de seguridad: ....

B.6 Fíjate en esta lista de combinaciones frecuentes. Elige algunas y escribe frases de ejemplo.

frase ⟩ lapidaria ⟩ inconexa ⟩ desafortunada

novela ⟩ rosa ⟩ negra ⟩ de caballerías ⟩ lacrimógena ⟩ póstuma

juicio ⟩ moral ⟩ aventurado ⟩ ecuánime ⟩ salomónico

fuerza ⟩ (pl.) armadas ⟩ (pl.) del orden ⟩ bruta ⟩ (pl.) renovadas ⟩ de voluntad

B.7 Traduce a tu lengua, o a una que conozcas bien, las combinaciones de palabras anteriores.

FRASE → lapidaria ❯ ....

→ inconexa ❯ ....

→ desafortunada ❯ ....

NOVELA → rosa ❯ ....

→ negra ❯ ....

→ de caballerías ❯ ....

→ póstuma ❯ ....

→ lacrimógena ❯ ....

JUICIO → moral ❯ ....

→ aventurado ❯ ....

→ ecuánime ❯ ....

→ salomónico ❯ ....

FUERZA → (pl.) armadas ❯ ....

→ (pl.) del orden ❯ ....

→ bruta ❯ ....

→ (pl.) renovadas ❯ ....

→ de voluntad ❯ ....

TRABAJAR LA GRAMÁTICA

LO + ADJETIVO

B.8 Escribe reacciones similares a las del ejemplo usando lo + adjetivo.

1. —La situación en la que se encuentra el planeta es insostenible. Es **alarmante** que muchas empresas no respeten las leyes medioambientales.

    —Para mí, lo alarmante es que haya personalidades influyentes que nieguen que exista realmente el cambio climático.

2. —En una relación de pareja es **importantísimo** compartir aficiones.

    _____

3. —Una de las cosas que resultan más **pesadas** a la hora de viajar es tener que alojarse en hoteles.

    _____

4. —Resulta **preocupante** que los niños empiecen a usar dispositivos móviles a una edad tan temprana.

    _____

5. — Si una pareja está pasando por un mal momento, es **razonable** que se separen por un tiempo.

    _____

C RECUERDOS DE UNA FIESTA FAMILIAR

TRABAJAR LA GRAMÁTICA

ESTILO INDIRECTO

C.1 Lee este fragmento de la obra de teatro *Tres sombreros de copa*, de Miguel Mihura, y resúmelo usando el estilo indirecto.

PAULA. ¡Te casas, Dionisio!

DIONISIO. Sí. Me caso, pero poco...

PAULA. ¿Por qué no me lo dijiste...?

DIONISIO. No sé. Tenía el presentimiento de que casarse era ridículo... ¡Que no me debía casar...! Ahora veo que no estaba equivocado... Pero yo me casaba, porque yo me he pasado la vida metido en un pueblo pequeñito y triste y pensaba que para estar alegre había que casarse con la primera muchacha que, al mirarnos, le palpitase el pecho de ternura... Yo adoraba a mi novia... Pero ahora veo que en mi novia no está la alegría que yo buscaba... A mi novia tampoco le gusta ir a comer cangrejos frente al mar, ni ella se divierte haciendo volcanes en la arena... Y ella no sabe nadar... Ella, en el agua, da gritos ridículos... Hace así: «¡Ay! ¡Ay! ¡Ay!» Y ella solo ama cantar junto al piano *El pescador de perlas*. Y *El pescador de perlas* es horroroso, Paula. Ella tiene voz de querubín, y hace así: (*Canta.*) Tralaralá... piri, piri, piri, piri... Y yo no había caído en que las voces de querubín están llenas de vanidad y que, en cambio, hay discos de gramófono que se titulan «Ámame en diciembre lo mismo que me amas en mayo», y que nos llenan el espíritu de sencillez y de ganas de dar saltos mortales... Yo no sabía tampoco que había mujeres como tú, que al hablarnos no les palpita el corazón, pero les palpitan los labios en un constante sonreír... Yo no sabía nada de nada. Yo solo sabía pasear silbando junto al quiosco de la música... Yo me casaba porque todos se casan siempre a los veintisiete años... Pero ya no me caso, Paula... ¡Yo no puedo tomar huevos fritos a las seis y media de la mañana...!

PAULA. (*Ya sentada en el sofá.*) Ya te ha dicho ese señor del bigote que los harán pasados por agua...

DIONISIO. ¡Es que a mí no me gustan tampoco pasados por agua! ¡A mí solo me gusta el café con leche, con pan y manteca! ¡Yo soy un terrible bohemio! ¡Y lo más gracioso es que yo no lo he sabido hasta esta noche que viniste tú... y que vino el negro..., y que vino la mujer barbuda... Pero yo no me caso, Paula. Yo me marcharé contigo y aprenderé a hacer juegos malabares con tres sombreros de copa...

PAULA. Hacer juegos malabares con tres sombreros de copa es muy difícil... Se caen siempre al suelo...

DIONISIO. Yo aprenderé a bailar como bailas tú y como baila Buby...

PAULA. Bailar es más difícil todavía. Duelen mucho las piernas y apenas gana uno dinero para vivir...

DIONISIO. Yo tendré paciencia y lograré tener cabeza de vaca y cola de cocodrilo...

PAULA. Eso cuesta aún más trabajo... Y después, la cola molesta muchísimo cuando se viaja en el tren...

(DIONISIO *va a sentarse junto a ella.*)

DIONISIO. ¡Yo haré algo extraordinario para poder ir contigo!... ¡Siempre me has dicho que soy un muchacho muy maravilloso!...

PAULA. Y lo eres. Eres tan maravilloso, que dentro de un rato te vas a casar, y yo no lo sabía...

DIONISIO. Aún es tiempo. Dejaremos todo esto y nos iremos a Londres...

PAULA. ¿Tú sabes hablar inglés?

DIONISIO. No. Pero nos iremos a un pueblo de Londres. La gente de Londres habla inglés porque todos son riquísimos y tienen mucho dinero para aprender esas tonterías. Pero la gente de los pueblos de Londres, como son más pobres y no tienen dinero para aprender esas cosas, hablan como tú y como yo... ¡Hablan como en todos los pueblos del mundo!... ¡Y son felices!...

PAULA. ¡Pero en Inglaterra hay demasiados detectives!...

DIONISIO. ¡Nos iremos a La Habana!

PAULA. En La Habana hay demasiados plátanos...

DIONISIO. ¡Nos iremos al desierto!

PAULA. Allí se van todos los que se disgustan, y ya los desiertos están llenos de gente y de piscinas.

DIONISIO. (*Triste.*) Entonces es que tú no quieres venir conmigo.

¿Quién es Miguel Mihura?

Miguel Mihura Santos (1905-1977), *autor teatral cuya obra se incluye en el llamado "teatro del absurdo". Tres sombreros de copa (1932) es su primera obra teatral, a pesar de lo cual revolucionó el teatro español. Su audacia retrasó su estreno hasta 1952. La obra sería galardonada con el Premio Nacional de Teatro. También trabajó en cine como guionista (escribió los diálogos de* Bienvenido Mr. Marshall, *de Luis García Berlanga). Dirigió las revistas humorísticas* La ametralladora *y* La codorniz. *Otras obras de teatro son* Ni pobre ni rico, sino todo lo contrario, El caso de la mujer asesinadita, Maribel y la extraña familia, Melocotón en almíbar *y* Ninette y un señor de Murcia. *Perteneció a la Real Academia Española. Tras* Tres sombreros de copa, *su teatro se adaptó más a los gustos del público, sin perder nunca su vis cómica ni su sentido dramático.*

[blank lined writing space]

C.2 ¿Esto es lo que sucede en la escena final de la película *Con faldas y a lo loco*, de Billy Wilder. Intenta reconstruir la conversación. Luego, busca en internet esta escena en español y compara lo que has escrito con lo que dicen en la película.

Ella le dice a Osgood que no pueden casarse. Él le pregunta por qué y ella responde que es porque no es rubia natural. A él le da igual. Ella continúa y le dice que fuma mucho, pero a él tampoco le importa. Ella le confiesa que tiene un pasado horrible y que lleva tres años viviendo con un saxofonista. Él la perdona. Ella añade que jamás podrá tener hijos y él le responde que pueden adoptarlos. Al final, viendo que él no lo entiende, le dice que es un hombre. Osgood responde que nadie es perfecto.

[blank lined writing space]

C.3 Ayer Laura olvidó cerrar un grifo. Relaciona cada una de las maneras de presentar las consecuencias con una interpretación.

Ayer Laura inundó el lavabo.	1	A — Se presenta a Laura como la persona afectada.
Ayer el lavabo de Laura se inundó.	2	B — Se presenta a Laura como la responsable.
Ayer a Laura se le inundó el lavabo.	3	C — Se presenta un hecho sin decir quién es el responsable ni a quién afecta.

C.4 Fíjate en el ejemplo y escribe frases con construcciones diferentes.

1. **tortilla quemada**
→ Ayer me llamaron por teléfono cuando estaba haciendo la tortilla y **se me quemó**.
→ Soy un desastre cocinando. Ayer **quemé la tortilla**.
→ La tortilla **se quemó** un poco, pero la pudimos aprovechar.

2. **ordenador roto**

3. **llaves perdidas**

4. **coche estropeado**

C.5 Completa las frases de manera que se señale el responsable o la intencionalidad de la acción.

1. —**Se me ha caído el jarrón** que tanto te gustaba. Lo siento...
   —No se te ha caído, ...

2. —No he regado las plantas y **se me han muerto**.
   —No se te han muerto, ...

3. —**Se me han olvidado** en casa las fotos que me pediste.
   —No se te han olvidado, ...

4. —**Se te ha quedado** una pared sin pintar.
   —No se me ha quedado, ...

C.6 El sábado fue el primer día de trabajo de Alba como camarera en un restaurante. Lee estas viñetas y toma nota de todo lo que le pasó. Luego, imagina que Alba le explica a alguien cómo le fue el día. Escríbelo.

→ ¡Qué pesadilla de día! Lo primero fue descorchando una botella de vino, que va y se me rompe el corcho. Pensé: "Bueno, lo intento sacar y lo sirvo", pero no, los clientes superenfadados me pidieron...

OBSERVAR LA VARIEDAD DEL ESPAÑOL

VARIEDAD RIOPLATENSE

C.7 Aunque en España y Argentina se habla el mismo idioma, hay muchas diferencias. En la conversación entre Josefina y Ceci has oído, por ejemplo, las palabras che, colectivo o vieja. Investiga sobre cómo se dicen en otros países de habla hispana.

CHE

COLECTIVO

VIEJA

OBSERVAR EL DISCURSO

EXPRESAR DUDA, SORPRESA O CORREGIR INFORMACIÓN

C.8 Consulta el cuadro de información y reacciona corrigiendo la información errónea, como en el ejemplo.

5 de mayo de 1862 → Batalla de Puebla, que ganó el ejército de Juárez (México)

3 de noviembre de 1903 → Panamá se separa de Colombia

24 de febrero de 1895 → Inicio de la guerra de Independencia de Cuba contra España

6 de febrero de 1916 → Muere el poeta Rubén Darío (Nicaragua)

1952 → Se crea en la clandestinidad el Movimiento Nacional de Liberación de Guinea (Monalige) (Guinea Ecuatorial)

1904 → El escritor madrileño José Echegaray se convierte en el primer español en ganar un Premio Nobel (el de Literatura)

diciembre de 1898 → Se firma el Tratado de París, que pone fin a la guerra entre España y Estados Unidos

1. — En mayo de 1826 fue la batalla de Puebla en México.
   — No fue en 1826 cuando tuvo lugar, fue en 1862.
2. — En noviembre de 1903 Panamá se separó de Costa Rica.
   — ....
3. — La guerra de Independencia de Cuba contra Francia empezó el 24 de febrero de 1895.
   — ....
4. — Rubén Darío murió en 1616.
   — ....
5. — Rubén Darío murió en Uruguay.
   — ....
6. — El Movimiento Nacional de Liberación de Guinea se creó en 1852.
   — ....
7. — El Movimiento Nacional de Liberación de Guinea se conoce como Molige.
   — ....
8. — José Echegaray ganó el Premio Nobel de Medicina.
   — ....
9. — José Echegaray era de Sevilla.
   — ....
10. — La guerra entre España y Estados Unidos terminó con la firma del Tratado de Utrecht.
   — ....

D DESCUBRIMIENTO O ENCONTRONAZO

DÍA DE LA RESISTENCIA INDÍGENA

12 de octubre de 1492

TRABAJAR EL LÉXICO

PALABRAS Y EXPRESIONES

D.1 Completa estas frases teniendo en cuenta la información de los textos de la p. 108 del Libro del alumno.

	Según el texto 1	Según el texto 2
1. La llegada de los españoles a América **constituyó**...		
2. Con la llegada de los españoles al continente americano **se puso de manifiesto**...		
3. El sometimiento de los pueblos indígenas **supuso**...		
4. El tiempo nos ha permitido **tomar conciencia de**...		

D.2 Responde a estas preguntas. Justifica tus respuestas.

1. ¿Qué acontecimiento **marcó un antes y un después** en la historia de tu país?

2. ¿Qué películas **han marcado un hito** en la historia del cine?

3. ¿Qué acontecimientos pueden **marcar la vida** de una persona?

4. ¿Qué puede **marcar la diferencia** en la vida de una persona?

NO MENOS DE Y NADA MENOS (QUE)

D.3 Indica cuál es el valor de las partículas destacadas.

1. **No menos de** 20 000 personas asistieron ayer a la manifestación.

2. **Nada menos que** 20 000 personas asistieron ayer a la manifestación.

☐ Sirve para poner algo en valor.
☐ Sirve para hacer una estimación.

ENTRE SÍ

D.4 Reescribe estas frases usando entre sí.

1. La Policía ha asegurado que no existe ninguna conexión entre los dos casos.

   → La Policía ha asegurado que los dos casos no están conectados entre sí.

2. Para explicar el comienzo de la I Guerra Mundial hay que tener en cuenta diferentes hechos con una relación muy estrecha.

3. Algunas lenguas tienen dialectos tan diferentes que un hablante puede no entender a otro.

4. Parece ser que cuando un delfín habla con otro, lo llama por su nombre.

¡Hombre, Manolo! ¿Qué haces?

¿Qué pasa, Pepe? Nada, un poco de *acquagym*.

M de mujeres

A
CUESTIÓN DE ACTITUD

ENTRAR EN EL TEMA

FEMINISMO Y MACHISMO

A.1 ¿Conoces la palabra **lío** o alguna palabra derivada? Escribe algunos ejemplos de uso.

MÉS

O

A.2 **Lee estas frases y tradúcelas a tu lengua.**

1. No puedo quedar el domingo. Mi hermana me **ha liado** para ayudarla con su mudanza.

2. Lo que pasó durante el partido fue lamentable. Dos jugadores **se liaron** a puñetazos.

3. ¡Cómo **la liamos** el sábado! Lo pasamos genial. En el restaurante nos invitaron a unos chupitos, luego fuimos a una discoteca y no paramos de bailar. Y de ahí nos fuimos a desayunar a un hotel y acabamos en la piscina de la terraza que tienen en el ático. *AZOTEA*

4. Me han asignado un proyecto muy importante. Espero no **liarla** y que todo salga bien.

5. Silvia **se ha liado con** un amigo de Julián. De momento no es nada serio. A ver cómo les va.

A.3 **Escribe un ejemplo con cada acepción del verbo liar(se).**

1.

2.

3.

4.

5.

A.4 ¿Qué verbo de la derecha puede sustuir a mantener(se) en cada uno de los ejemplos? Relaciona.

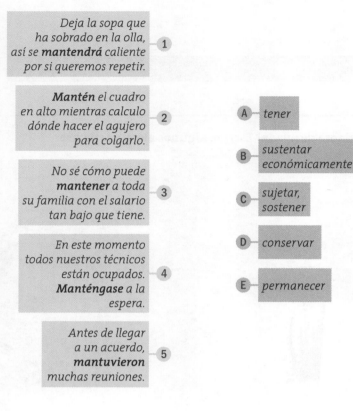

*Deja la sopa que ha sobrado en la olla, así se **mantendrá** caliente por si queremos repetir.* **1**

***Mantén** el cuadro en alto mientras calculo dónde hacer el agujero para colgarlo.* **2**

*No sé cómo puede **mantener** a toda su familia con el salario tan bajo que tiene.* **3**

*En este momento todos nuestros técnicos están ocupados. **Manténgase** a la espera.* **4**

*Antes de llegar a un acuerdo, **mantuvieron** muchas reuniones.* **5**

A tener

B sustentar económicamente

C sujetar, sostener

D conservar

E permanecer

A.5 Traduce a tu lengua los ejemplos anteriores.

MANTENER(SE)

1. → rester chaud/e
2. ....
3. ....
4. ....
5. ....

En este momento todos nuestros técnicos están ocupados. Manténgase a la espera.

A.6 Lee estas frases con diferentes significados del verbo rendir(se) y relaciónalos con su equivalente.

*Ayer corrí una maratón y hoy estoy **rendida**.* **1**

*No soy capaz de arreglar el ordenador. **Me rindo**. Voy a llamar al técnico.* **2**

*Elena sale todas las noches y luego no **rinde** en el trabajo. La van a despedir...* **3**

A tirar la toalla

B ser productivo/a

C fatigarse

A.7 Traduce a tu lengua los ejemplos anteriores.

RENDIR(SE)

1. → épuiser, exténuer, être crevé/e
2. ....
3. ....

A.8 Responde a estas preguntas.

1. ¿Qué cosas suelen dejar **rendida** a una persona?

....
....

2. ¿Eres de los que **se rinden** fácilmente ante los problemas? Pon algún ejemplo.

....

3. ¿En qué momento del día **rindes** más en el trabajo o en los estudios?

....
....

A.9 Vuelve a leer la tira cómica de Moderna de pueblo de la p. 111 del Libro del alumno y crea una nueva viñeta.

B MUJERES EN ESCENA

TRABAJAR EL LÉXICO

PALABRAS Y COMBINACIONES

B.1 Continúa estas frases de manera lógica.

1. Su papel en la aclamada película de Sofia Coppola **marcó el inicio** ....

2. Cuando cumplí los cuarenta **tomé conciencia de** ....

3. Últimamente no me encuentro muy a gusto en el trabajo, **se respira un ambiente** ....

4. Me cuesta mucho **seguir el ritmo** ....

5. Cuando viajo, normalmente **me llama** mucho **la atención** ....

6. Las campañas publicitarias buscan **causar impacto** ....

7. El discurso del padrino fue muy emotivo. **Se le entrecortaba la voz** y ....

8. Para la película tenía que ganar peso y masa muscular en apenas un mes. **Acepté el reto** y ....

9. Cuando **se difuminan los límites** entre el amor y la amistad ....

B.2 Marca la opción más adecuada en cada frase. En algunos casos las dos opciones son correctas.

1. No tengo **experiencia/experiencias** en el sector empresarial. Creo que me va a ser difícil encontrar un trabajo.

2. Es un profesional de **reconocida experiencia / reconocidas experiencias**.

3. Ser documentalista en un periódico no es el trabajo de mis sueños, pero al menos puedo ir acumulando **experiencia/experiencias**.

4. Creo que es mejor que hables con tu jefe antes de tomar la decisión de marcharte. Lo digo por **experiencia/experiencias**.

5. Todos hemos vivido **experiencia dolorosa / experiencias dolorosas**, pero hay que reponerse y seguir adelante.

6. Sonia colgó algunas fotos comprometidas en Facebook y la han despedido. Espero que os sirva de **ejemplo/ ejemplos** y no cometáis el mismo error.

7. Mi hijo mayor es muy estudioso. Espero que el pequeño siga **su ejemplo / sus ejemplos**.

8. Los casos de infección y contagio en ese hospital son **claro ejemplo / claros ejemplos** de negligencia médica.

9. Los astronautas estuvieron tres horas sin poder establecer **contacto/contactos** con la base.

10. El móvil no ha vuelto a funcionar desde que se me cayó al agua y he perdido **el contacto / los contactos**. Voy a tener que pedirle el número de teléfono a todo el mundo.

11. Hablo con Carmen al menos una vez por semana. La verdad es que me alegro de seguir en **contacto/ contactos** con ella.

12. Los niños siempre escuchan con **interés/intereses** a Nuria. Es muy buena profesora.

13. Paco está totalmente apático y no muestra **interés/ intereses** en nada.

14. Álvaro no tiene nada de solidario ni de generoso. Todo lo que hace, lo hace por **interés/intereses**.

15. Tienes que poner en **práctica/prácticas** las recomendaciones del médico o no notarás ninguna mejora.

16. No se me da nada bien hacer paella, pero creo que es la falta de **práctica/prácticas**; solo la he hecho dos veces.

17. Este nuevo programa informático es complicado. La teoría la tengo clara, pero en **la práctica / las prácticas** es cuando me surgen dudas.

18. —¿Trabajas aquí?
    —No, estoy en **práctica/prácticas**.

B.3 Escribe frases con estas combinaciones.

| poner como ejemplo | entrar en contacto (con) | añadir a contactos |
| ser de interés | intereses altos | prohibir/censurar la práctica de |
| con práctica |

1. ....

2. ....

3. ....

4. ....

5. ....

6. ....

7. ....

EN DETALLE

B.4 Explica brevemente qué significa para ti cada una de estas expresiones.

- Salir de la cotidianidad: ....

....

....

....

- Explorar nuevos horizontes: ....

....

....

....

- Dialogar con nuestros múltiples "yo": ....

....

....

....

- Tropezar con nuestras propias resistencias: ...

....

....

....

TRABAJAR LA GRAMÁTICA

PERÍFRASIS DE DESARROLLO Y FINAL

B.5 Completa con ir, venir o terminar en presente de indicativo.

1. Tal y como les _____VENGO_____ informando a lo largo del programa, la autovía A-VI permanece cortada al tráfico a causa de un accidente en dirección Madrid.

2. Compaginar trabajo y estudios no es fácil. Por eso, muchos universitarios _____TERMINAN_____ abandonando la carrera.

3. La medicación actúa muy rápido. Ya se me _____VA_____ pasando el dolor.

4. Como _____VIENE_____ siendo tradición en nuestra universidad en los últimos años, hoy se celebra el Día de la Poesía.

5. Las prácticas en la clínica me permiten adquirir experiencia y cada día me _____VOY_____ sintiendo más segura.

6. Jaime, tenemos que irnos ya si queremos llegar a tiempo. _____VOY_____ sacando el coche del garaje, ¿vale?

7. Hace tiempo que _____VENGO_____ observando a ese chico y creo que tiene muchas aptitudes para la música.

8. Siempre que quedo con mis amigos, _____TERMINO_____ pagando yo. ¡Tendrán morro!

B.6 Cambia el verbo estar por ir o venir.

1. La forma en que **está comportándose** últimamente su hijo en clase es inadmisible. Tienen que hablar muy seriamente con él.
   > ~~VIENE~~ COMPORTÁNDOSE
   > VIENE

2. Gracias a la investigación, cada día **estamos entendiendo** más cómo funcionan ciertas enfermedades.
   > VAMOS ENTENDIENDO

3. Por fin hemos conseguido la subida de sueldo que **estábamos reclamando** desde hace tanto tiempo.
   > VENÍAMOS RECLAMANDO

4. Desde hace un tiempo, nuestras empresas ya no **están colaborando** en ese proyecto.
   > VIENEN COLABORANDO

5. No es fácil recuperar toda la movilidad en la pierna, pero ahora que he empezado la rehabilitación creo que ya lo **estoy consiguiendo.**
   > VOY CONSIGUIENDO

6. Hace más de dos meses que Mónica te **está avisando** de que va a vender el piso, pero no has hecho nada para evitarlo.
   > VIENE AVISANDO

C ESCUELA Y DESIGUALDAD

TRABAJAR EL LÉXICO

DESIGUALDAD DE GÉNERO

C.1 Fíjate en el ejemplo y escribe tres frases usando dos de estas combinaciones en cada una.

violencia familiar y sexual	condiciones (des)iguales
(des)igualdad de género	forma de discriminación
reforzar las (des)igualdades	roles establecidos
(in)visibilizar a las mujeres	relaciones de (des)igualdad
empoderar a las mujeres	

Mantener los roles establecidos por la sociedad para hombres y mujeres contribuye a reforzar las desigualdades.

1. _____

2. _____

3. _____

C.2 Aquí tienes dos ejemplos de situaciones en las que se invisibiliza a las mujeres. Investiga en internet y explica en tu cuaderno cómo se podría, en cada caso, contribuir a empoderarlas.

- Uso genérico del masculino en el lenguaje en español.
- Grandes personajes de la historia.

Amelia Earhart (1897-1937): aviadora estadounidense, célebre por sus marcas de vuelo y por intentar el primer viaje aéreo alrededor del mundo sobre la línea ecuatorial.

LENGUA QUECHUA

C.3 ¿Qué sabes de la lengua quechua? Marca las afirmaciones que te parezcan verdaderas y luego compruébalas en internet.

1. Es la lengua originaria del Imperio azteca. ☐
2. El quechua fue la lengua más extendida en el Imperio inca. ☐
3. Actualmente, lo hablan aproximadamente 10 millones de personas. ☐
4. Se habla solo en Perú. ☐
5. La mayoría de términos quechuas que hay en el español son cultismos. ☐
6. El quechua es el idioma de la mayoría de los indígenas, seguido del aymara y el ashéninga. ☐
7. En el área andina, todavía es una lengua muy usada (Perú, Bolivia, Ecuador). ☐
8. Las palabras **cóndor**, **cancha** y **puma** son de origen quechua. ☐

TRABAJAR LA GRAMÁTICA

USOS DE SE

C.4 Completa las frases con el verbo correcto.

1. Quedar • Quedarse
   a. Lo siento, pero no puedo ir mañana a tu fiesta. **He quedado / me he quedado** con unos amigos para ir al cine.
   b. ¿**Quedas / te quedas** a dormir? Es muy tarde para volver a casa.

2. Dormir • Dormirse
   a. En los trayectos largos la DGT aconseja hacer paradas cada dos horas para descansar y evitar **dormir/dormirse** al volante.
   b. ¡Estoy agotada! Esta semana me han cambiado al turno de noche y **he dormido / me he dormido** muy poco.

3. Jugar • Jugarse
   a. Mi hijo **juega / se juega** al baloncesto desde los siete años.
   b. Es un partido muy importante porque nuestro equipo **juega / se juega** nada menos que el pase a semifinales.

4. Aprovechar • Aprovecharse
   a. Este fin de semana quiero **aprovechar/aprovecharme** el tiempo y adelantar todo el trabajo que tengo atrasado.
   b. Carlos es demasiado inocente, todo el mundo **aprovecha / se aprovecha** de él.

5. Salir • Salirse
   a. La cafetera no funciona. **Ha salido / se ha salido** el tornillo de la tapa y ahora no puedo enganchar la pieza que falta.
   b. Marcos es un reloj: **sale / se sale** de casa siempre a la misma hora.

6. Ocupar • Ocuparse
   a. No tengo tiempo de **ocupar/ocuparme** de estas tonterías ahora. Ya hablaremos más tarde.
   b. El sobrino de Victoria **ocupa / se ocupa** un cargo público en el Ayuntamiento.

7. Realizar • Realizarse
   a. Tengo un trabajo bien pagado, pero, para mí, eso no es lo más importante. Yo necesito **realizar/realizarme** en mi carrera.
   b. Los deportistas de élite **realizan / se realizan** durísimos ejercicios de entrenamiento.

8. Despedir • Despedirse
   a. Estaba tan enfadada que dio un portazo y se fue sin **despedir/despedirse**.
   b. Mi empresa **ha despedido / se ha despedido** a más de 10 trabajadores en lo que va de año.

9. Probar • Probarse
   a. Marta, hasta que no **pruebes / te pruebes** los pantalones no sabrás si te quedan bien o no.
   b. ¿Por qué no **pruebas / te pruebas** el guiso? Yo creo que le falta un poco de sal.

10. Dedicar • Dedicarse
    a. ¿A quién **has dedicado / te has dedicado** el libro?
    b. ¿A qué **dedicas / te dedicas** cuando no estás escribiendo?

C.5 Fíjate en esta ficha que recoge las diferencias de significado y de forma del verbo quedar(se)**. Haz lo mismo con** jugar(se)**,** aprovechar(se) **y** despedir(se) **en tu lengua o en una que conozcas bien.**

QUEDAR(SE)

- ¿Con quién **has quedado** esta tarde?
- **Hemos quedado en** la puerta del cine.
- Entonces ¿**quedamos a las** tres y media?
- Yo **me quedo** aquí. Nos vemos, luego, cuando salgas de la reunión.
- No, esta tarde no voy a salir. Voy a **quedarme estudiando** en casa.
- **Me quedo a estudiar**.
- No **queda** leche, hay que comprar.

- **quedar con** (alguien) ▸ *to meet* (someone) / *to make plans with* (someone)
- **quedar en** (lugar) ▸ *to meet at/by* (a place)
- **quedar a la(s)** (hora) ▸ *to meet at* (an hour)
- **quedarse** (en un lugar) ▸ *to stay*
- **quedarse** + gerundio ▸ *to stay* + Gerund
- **quedarse a** + infinitivo ▸ *stay to* + Infinitive
- **quedar** ▸ *there is left*

JUGAR(SE)

- Los sábados mis hijos **juegan** en el parque.
- ¿Sabes si este año Rafa Nadal **juega** el Roland Garros?
- Deja de **jugar con** la comida.
- **Me juego** lo que quieras a que no está enfermo. Seguro que no ha venido porque le daba pereza.
- No sé la respuesta, pero **me la juego**: ¿Dinamarca?
- ¿**A** qué estás **jugando**? Si no quieres seguir saliendo con Germán, díselo, pero no esperes a que las cosas se pongan más serias.

→ jugar ▸ to play

APROVECHAR(SE)

- **Aproveché** la hora que tenía libre para hacer unos recados.
- **Aproveché** que no llovía para dar un paseo.
- Me da mucha rabia que los estafadores **se aprovechen de** la gente mayor.
- ¿Por qué no **aprovechas** la tela que ha sobrado del vestido para hacerte un pañuelo?

→ aprovechar ▸ to use

DESPEDIR(SE)

- Antes de irse, dio una fiesta para **despedirse** de todos.
- No me sorprende que lo hayan **despedido** del trabajo. Es muy irresponsable.
- Atención: esta máquina puede **despedir** partículas incandescentes.
- Si no te portas bien, **despídete** de cenar pizza esta noche.
- Esta sustancia química es fácilmente reconocible porque **despide** un olor muy característico.

→ despedirse ▸ to say goodbye

D ¿IGUALDAD DE GÉNERO?

TRABAJAR EL LÉXICO

CATEGORÍAS

D.1 Define o explica qué significan estos términos que se utilizan en la página web adoptauntio.es para catalogar a los hombres.

- barbudo: ....
  ....

- urbanita: ....
  ....

- estilo desenfadado: ....
  ....

- descuidado: ....
  ....

- manitas: ....
  ....

- bailongo: ....
  ....

- pulpfiction: ....
  ....

- jardiland: ....
  ....

D.2 Clasifica estas palabras o expresiones en la tabla.

fofisano	andrajoso	perroflauta	bricomaníaco	tirillas
osito	leñador	enólogo	el rey del sofá	cachas	seriéfilo
arreglado pero informal	fibroso	cazador de pokémones

físico	estilo	hobbies

EXPRESIONES

D.3 Traduce estas palabras o expresiones a tu lengua o a una que conozcas bien.

- fenómeno social ❯ ....
  ....

- llevar la iniciativa ❯ ....
  ....

- dejar a un lado ❯ ....
  ....

- poder de seducción ❯ ....
  ....

- llevar las riendas ❯ ....
  ....

- quedarse flipando ❯ ....
  ....

- llegar a la altura (de) ❯ ....
  ....

- cortar el bacalao ❯ ....
  ....

- dar que hablar ❯ ....
  ....

- poner a caldo ❯ ....
  ....

OBSERVAR EL DISCURSO

UNA NUEVA WEB DE CITAS

D.4 Elige uno de los textos de la p. 118 del Libro del alumno y escribe en tu cuaderno un párrafo más para añadir al final, o donde te parezca más oportuno, en el que desarrolles un nuevo argumento para apoyar o criticar la página web adoptauntio.com.

N
de
na
tu
ra
le
za

A LA NATURALEZA Y EL HOMBRE

TRABAJAR EL LÉXICO

LA NATURALEZA EN PALABRAS

A.1 Escribe otras combinaciones posibles.

alimentación	bio
agricultura	tradicional
experimentos	con animales
energías	renovables
residuos	sólidos

A.2 Escribe frases con estas palabras. Las imágenes pueden darte ideas.

1. comida orgánica

2. impacto ambiental

3. materiales biodegradables

4. gases de efecto invernadero

5. pesticidas y conservantes

6. manipulación genética

7. calentamiento global

8. cultivo ecológico

9. desarrollo sostenible

10. agotamiento de recursos naturales

B EL VOLCÁN PACAYA

TRABAJAR EL LÉXICO

PARAJE VOLCÁNICO

B.1 ¿Has visitado alguna vez un parque natural? Piensa en alguno o busca fotos en internet y describe a grandes rasgos su naturaleza y paisaje.

B.2 Escribe las palabras que faltan. Las puedes encontrar en el texto de la p. 122.

cráter   lava   material piroclástico   cenizas
placa tectónica   subsuelo

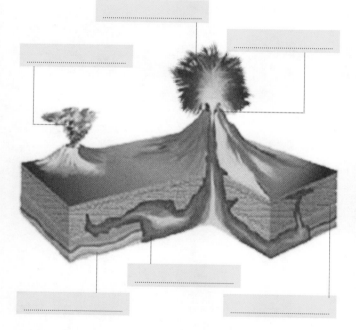

B.3 Escribe en qué se miden estas cosas.

- La velocidad del viento: ....
- La temperatura: ....
- La intensidad de un terremoto: ....
- La cantidad de lluvia: ....

B.4 Busca en internet ejemplos de uso de las siguientes colocaciones. Luego, tradúcelas a tu lengua.

entrar en ⟩ razón ⟩ pánico ⟩ calor ⟩ shock ⟩ cólera
parada (cardiorrespiratoria) ⟩ coma
depresión ⟩ crisis

ENTRAR EN...

B.5 Escoge seis de las colocaciones anteriores y escribe tus propios ejemplos.

1. ....
2. ....
3. ....
4. ....
5. ....
6. ....

DAÑOS MATERIALES

B.6 Fíjate en los adjetivos de las etiquetas, que se combinan frecuentemente con la palabra daños, y clasifícalos en la tabla según se refieran al tipo de daños o a su magnitud.

leves	materiales	cuantiosos	irreversibles	importantes
considerables	incalculables	físicos	cerebrales	colaterales
graves	irreparables	ambientales	psicológicos	devastadores

tipo de daños	magnitud de los daños

B.7 Escribe cuatro titulares con las palabras anteriores. Trata de usar una palabra de cada columna en todas las frases, como en el ejemplo.

→ El incendio forestal que se inició la madrugada pasada ha provocado graves daños ambientales en la zona afectada.

1. ....
....
....

2. ....
....

3. ....
....

4. ....
....

A ÉL LE TOCABA

B.8 Relaciona cada ejemplo con la acepción correspondiente del verbo tocar.

1. No **toques** la olla, que todavía está caliente.

2. Julia **toca** el piano desde los nueve años.

3. Me encantó el concierto, pero no **tocaron** todas las canciones que yo quería.

4. El CV está perfecto. Yo que tú no lo **tocaría** más y lo enviaría tal cual está.

5. La verdad es que nunca lo había visto así de emocionado, se ve que tus palabras le **tocaron**.

6. Cenemos en paz y no hablemos de política, por favor. No **toquemos** temas que siempre acaban en discusión.

7. Ayer lavé yo los platos, mamá. Hoy le **toca** a Ricardo.

8. ¡No me puedo creer que a Marta le **tocara** la lotería!

9. El cambio de horario es para los que trabajan en el turno de tarde, a nosotros no nos **toca**.

A. Ganar un premio.

B. Hacer sonar un instrumento.

C. Tener contacto físico.

D. Ser el turno o la obligación de alguien.

E. Hablar sobre algo.

F. Afectar, influir, incumbir.

G. Cambiar algo de estado o posición.

H. Interpretar una pieza musical.

I. Causar un impacto emocional.

TRABAJAR LA GRAMÁTICA

VERBOS DE PERCEPCIÓN + INFINITIVO

B.9 Transforma las frases como en el ejemplo.

1. Me encanta sentarme en una terraza y **mirar cómo pasa la gente**.

   → Me encanta sentarme en una terraza y mirar a la gente pasar.

2. Perdona, ¿**has visto si ha pasado un coche azul?**

3. Mientras hablaba con Andrea, **noté que me temblaban las manos**.

....

4. Una de las cosas que más me gustan de vivir aquí es poder **contemplar cómo se pone el sol**. Es espectacular.

5. Me asusté bastante en Japón una vez que **sentí que la tierra temblaba muy fuerte**.

POR Y PARA

B.10 Completa los espacios con las preposiciones por o para.

1. Mi vecino de enfrente mira .... la mirilla de la puerta cada vez que alguien sube .... las escaleras.

2. Mira la tarta de cumpleaños que estoy preparando .... Amelia. ¿Crees que le gustará?

3. ¡Qué nervios! ¡Mañana tengo la presentación del proyecto! Ojalá lo pudieras hacer tú .... mí. A ti se te da mejor hablar .... tanta gente.

4. La conferencia fue organizada y financiada .... la WWF.

5. Tú ibas a pedir el pescado, ¿no? Pues, ... mí el cordero.

6. Marcos no aceptó el trabajo .... el horario que le pedían que hiciera.

7. Elisenda está todo el día hablando .... sí. A veces parece un poco loca, pero ella dice que lo hace .... no olvidarse de lo que tiene que hacer.

8. En casa no podían estudiar .... el ruido y .... eso se fueron a la biblioteca.

9. Carmen ha dicho que aún le quedan un par de exámenes .... corregir y que luego viene.

10. ¿Tienes algún producto .... las manchas?

11. El del taller dice que el coche estará listo .... el martes.

12. Es increíble la agilidad que tiene Roberto .... lo mayor que es.

13. .... mí, vamos a la sesión de las 20 h, ningún problema. Decide tú.

14. Has dejado las ventanas abiertas y ahora hay moscas .... toda la casa.

15. Laura tiene un dolor de cabeza terrible así que no está .... nadie. Mejor que no la molestemos hasta que se le pase.

16. Si no sabes lo que opina Ramón, no hables .... él, que quizás no está de acuerdo contigo.

17. ¿Que me vas a llevar a cenar un bocadillo el día de nuestro aniversario? .... eso me quedo en casa.

18. Al final no vamos a poder ir al concierto. Vayan ustedes .... nosotros .... no tirar las entradas, ¿no?

19. El fotógrafo le pidió a la modelo que mirara .... la pared y pusiera cara de nostalgia.

OBSERVAR EL DISCURSO

GÉNERO Y ESTILO

B.11 Modifica el texto usando personificaciones, símiles o metáforas. Puedes hacerlo en algunos de los fragmentos destacados o en otros.

Era un día ventoso, ella llevaba una gabardina gris larga y la sujetaba por el cuello con una mano para que el viento no se la abriera. El viento soplaba fuerte en dirección a su cara y su pelo suelto volaba hacia atrás. Llegó a la esquina y se quedó de pie junto al buzón amarillo mirando a ninguna parte con cara de haber recordado algo desagradable. Era tarde, en la calle no había nadie. Después de mucho dudarlo, la mujer introdujo el sobre en la ranura del buzón y separó lentamente los dedos. El sobre se deslizó hacia adentro y ella, al darse cuenta de lo que acababa de hacer, puso una expresión de espanto e inmediatamente se arrepintió. Era tarde para recuperarlo; el sobre ya estaba dentro del buzón...

B.12 Termina la historia anterior. Trata de usar algún recurso literario.

C MÉXICO CONTRA EL ESMOG

TRABAJAR EL LÉXICO

FAMILIAS DE PALABRAS

C.1 Completa las tablas con los sustantivos o los verbos adecuados.

Sustantivo	Verbo
mejora ←	mejorar
medición ←	....
suspensión ←	....
contaminación ←	....
compensación ←	....
emisión ←	....
gestión →	....
circulación ←	....

Verbo	Sustantivo
concentrar →	concentración
retirar →	....
aislar →	....
acumular →	....
resistir →	....
financiar →	....
contribuir (a) →	....

C.2 Imagina que trabajas en el Ayuntamiento de tu pueblo o ciudad. ¿Qué medidas adoptarías para que el lugar donde vives fuera más respetuoso con el medioambiente? Haz una lista y explica por qué o para qué lo harías. Trata de usar algunas de las palabras de la actividad C.1.

HORA PICO

C.3 Marca con cuál de estas imágenes relacionarías hora pico y justifícalo.

C.4 En estas frases aparecen otras expresiones para indicar momentos o puntos de mayor o menor intensidad. Tradúcelas a tu lengua. ¿Se usan también adjetivos y sustantivos relacionados con la altitud?

1. Siempre vamos de vacaciones en **temporada baja** porque en **temporada alta** los precios están por las nubes.

2. Los libreros se quejan de que su negocio está en **horas bajas** porque venden cada vez menos.

3. Estamos contratando a más gente porque tenemos un **pico de trabajo**.

4. Habría que intentar animar a Julio, que **está de bajón** desde que lo ha dejado su novia.

5. Uno de los **puntos álgidos** de la Guerra Fría fue la crisis de los misiles en Cuba.

6. El **punto culminante** de la gala fue la entrega del premio honorífico.

TRABAJAR LA GRAMÁTICA

ORACIONES CONCESIVAS

C.5 Añade un conector concesivo a estas frases y complétalas de manera lógica, como en el ejemplo.

| aunque | a pesar de (que) | aun + gerundio | si bien | pese a (que) |

1. La comida orgánica aporta grandes beneficios para la salud. → *A pesar de que la comida orgánica aporta grandes beneficios para la salud, mucha gente sigue comprando productos con pesticidas y sustancias químicas.*

2. Se dice que tener plantas en el dormitorio es perjudicial. ....

3. Instalar paneles de energía solar es caro. ....

4. El Ayuntamiento facilita a los ciudadanos la recogida de residuos para su reciclaje. ....

5. Cada vez estamos más concienciados sobre el cambio climático. ....

6. Hoy en día, muchas empresas de cosmética ofrecen productos libres de sustancias químicas. ....

7. La experimentación con animales cada vez tiene más detractores. ....

8. Usar papel reciclado no es tan respetuoso con el medioambiente como dicen. ....

¿ES DECIR O DE HECHO?

C.6 Marca en cada ejemplo el conector adecuado: es decir o de hecho. Luego, completa la regla.

1. Leer las etiquetas de información nutricional se ha convertido en una necesidad, **de hecho / es decir**, en algunos colegios enseñan a los niños a hacerlo.

2. Los conflictos deben resolverse por medios políticos, **de hecho / es decir**, mediante la negociación.

3. Los publicistas españoles gozan cada vez de más prestigio, **de hecho / es decir**, recientemente varias campañas publicitarias han ganado premios internacionales.

4. Los moluscos son animales invertebrados, **de hecho / es decir**, no tienen columna vertebral.

5. Paula no es hija única. **De hecho / es decir**, tiene cuatro hermanos.

de hecho / es decir

- El conector .... introduce nueva información o precisa información dada previamente.

- El conector .... tiene carácter explicativo y sirve para reformular lo dicho.

OBSERVAR EL DISCURSO

ENTRE REGISTROS

C.7 Reformula estas frases en un registro más coloquial.

1. La creación de espacios verdes en la ciudad ha contribuido a una mejora de la calidad del aire. ....

2. La Secretaría de Medioambiente se encarga de la medición de la calidad del aire de la ciudad. ....

3. Las fuertes lluvias han provocado la suspensión del concierto. La nueva fecha está todavía sin confirmar. ....

4. Los responsables de la gestión del proyecto comparecerán ante el juez el próximo 2 de abril. ....

5. Los vecinos afectados por el fallo en el circuito eléctrico recibirán una compensación económica por las pérdidas ocasionadas. ....

D CARTA A GREENPEACE

TRABAJAR EL LÉXICO

PERDER

D.1 Observa las diferentes cosas que se pueden perder y relaciónalas con el sentido del verbo. Añade más ejemplos si se te ocurren.

Perder...

un partido / una apuesta / una batalla / una guerra — **1**	**A** No llegar a tiempo.
el móvil/celular / las llaves / un libro — **2**	**B** Ser derrotado, vencido.
los nervios / los papeles / la cabeza / la paciencia — **3**	**C** Pasar de un estado mental a otro que, normalmente, se considera negativo.
un tren / un avión / un autobús — **4**	**D** Desperdiciar, desaprovechar.
la fe / la ilusión / la esperanza / el miedo / la vergüenza / la inocencia — **5**	**E** Dejar salir de un recipiente poco a poco su contenido de manera no deseada.
	F Extraviar, no hallar alguna cosa.
el oído / la vista / la movilidad / la memoria / elasticidad — **6**	**G** Cambiar en un aspecto de la personalidad o los sentimientos.
una oportunidad / una ocasión / (el) tiempo — **7**	**H** Dejar de disponer de una capacidad física o psíquica.
agua / aire / gasolina — **8**	

D.2 Traduce a tu lengua al menos una expresión de la actividad D.1 de cada categoría. Elige las que quieras recordar o las que te ayuden a aprender.

D.3 Completa estos diálogos con una palabra o expresión contraria a las expresiones con **perder** de la actividad D.1.

1. —La última vez que nos fuimos de viaje casi perdemos el avión por tu culpa. Por favor, vámonos ya.
   —Tranquila, que esta vez ....

2. —¿Qué tal el partido? ¿Habéis perdido otra vez?
   —¡Qué va! ....

3. —Tengo que hablar con mi compañero de piso sobre el alquiler y no sé cómo afrontarlo. Es que este chico me hace perder los papeles.
   —Tú intenta .... y verás cómo todo va bien.

4. —No tendría que haber tardado tanto en tomar la decisión. He perdido una gran oportunidad.
   —Bueno, no era tu momento. Ya surgirán otras oportunidades y seguro que ....

5. —Cuidado con la botella, que pierde agua.
   —¿Y no tienes ninguna que ....?

6. —Ya he perdido otra vez las llaves. No sé dónde tengo la cabeza.
   —Bueno, tranquila, seguro que ....

7. —Tienes que perderle el miedo a hablar en público. Seguro que hay formas de conseguirlo.
   —Sí, claro, pero no es tan fácil. Lleva su tiempo ....

8. —Mi abuelo está perdiendo el oído. Ya no oye casi nada.
   —Ay, pobre. El mío, por suerte, ...

NO TERGIVERSES MIS PALABRAS

D.4 **Lee estas frases y sustituye el verbo destacado en negrita por otro sin alterar el sentido de la frase. Haz modificaciones cuando sea necesario.**

1. El presidente **ha señalado** que será necesario tomar medidas drásticas para erradicar la enfermedad.

   > ....

2. Algunos políticos **niegan** la existencia del cambio climático.

   > ....

3. Le hicieron una entrevista al jugador y ahora este acusa al periodista de **haber tergiversado** sus palabras.

   > ....

4. **Instamos a** las autoridades a llevar a cabo el proyecto de mejora de las instalaciones deportivas, tal y como prometieron durante la campaña.

   > ....

5. Estudios recientes **han concluido** que los cultivos y alimentos mejorados mediante la biotecnología son seguros para la salud y el medioambiente.

   > ....

6. La Organización Mundial de la Salud **estima** que 250 millones de personas sufren DVA.

   > ....

7. Las estadísticas **muestran** un incremento en casos de muerte por inanición.

   > ....

8. Llamamos a los Gobiernos del mundo a **rechazar** la campaña de Greenpeace contra el arroz dorado.

   > ....

TRABAJAR EL LÉXICO

PREPOSICIONES REGIDAS

D.5 **Completa las frases con la preposición adecuada.**

1. Las alergias **afectan** .... gran parte de la población durante la primavera.

2. Hasta hace no muchos años se creía que el tabaco no era **perjudicial** .... la salud.

3. Los sindicatos **se opusieron** .... la reforma laboral por encontrarla injusta.

4. Subirán los impuestos para cubrir los gastos **derivados** .... la gestión medioambiental.

5. La dirección **instó** a los padres de los niños .... participar en la toma de decisiones.

6. Las conclusiones del estudio sobre el consumo de azúcar **se basan** .... una encuesta realizada a niños menores de 10 años.

7. El pueblo quedó aislado por el temporal y no tiene **acceso** .... los servicios básicos.

8. El nuevo fertilizante es respetuoso con el medioambiente porque no **tiene impacto** .... la biodiversidad.

OBSERVAR EL DISCURSO

UN MANIFIESTO

D.6 **Transforma la carta dirigida a los dirigentes de Greenpeace en un manifiesto.**

MANIFIESTO POR...

Un grupo de ganadores del Premio Nobel manifestamos...

Reivindicamos...

Exigimos a...

de orígenes

A NUEVOS ROSTROS

ENTRAR EN EL TEMA

MULTICULTURALISMO

A.1 Escribe todas las combinaciones posibles.

claro/a/os/as	oscuro/a/os/as
fino/a/os/as	suave/s
estrecho/a/os/as	liso/a/os/as
grueso/a/os/as	largo/a/os/as
poblado/a/os/as	

tez ❯ ....

labios ❯ ....

facciones ❯ ....

frente ❯ ....

cejas ❯ ....

ojos ❯ ....

A.2 Usa las palabras de las etiquetas para describir a estas personas.

tez ❯ clara ❯ oscura

labios ❯ finos ❯ carnosos

facciones ❯ marcadas ❯ suaves

frente ❯ alta ❯ ancha ❯ estrecha

cejas ❯ pobladas ❯ gruesas ❯ finas

nariz ❯ aguileña ❯ respingona ❯ ancha ❯ chata

barba ❯ poblada ❯ recortada ❯ larga ❯ de tres días

rostro ❯ redondo ❯ ovalado ❯ alargado ❯ cuadrado

ojos ❯ rasgados ❯ saltones ❯ almendrados

pelo ❯ liso ❯ ondulado ❯ rizado ❯ afro

ojos rasgados...

¿HOGAR, DULCE HOGAR?

ENTENDER EL DOCUMENTO

RECOMENDACIONES

B.1 **Estas son las recomendaciones que da el texto para paliar los efectos del choque cultural inverso. Léelas y añade dos más.**

RECOMENDACIONES

NO TE ENGAÑES A TI MISMO PENSANDO QUE VAS A ENCONTRARLO TODO COMO LO HABÍAS DEJADO CUANDO TE MARCHASTE.

TRATA DE ADAPTARTE A LA VIDA EN TU PAÍS SIN RENUNCIAR A LAS IDEAS Y VALORES QUE APRENDISTE FUERA.

NO TRATES DE VOLVER A COMPORTAMIENTOS ANTIGUOS PORQUE ES LO QUE LOS DEMÁS ESPERAN DE TI.

ACEPTA QUE TÚ TAMBIÉN HAS CAMBIADO, QUE YA NO ERES EL MISMO.

NO TE HAGAS CONSTANTEMENTE LA PREGUNTA DE SI ALGÚN DÍA VAS A VOLVER A SENTIRTE COMPLETAMENTE COMO EN CASA.

• ....

• ....

CHOQUE CULTURAL INVERSO

B.2 **Explica con tus propias palabras en qué consiste...**

• sentirse como un extranjero permanente: ....

• sufrir un choque cultural inverso: ....

• tener el síndrome del viajero eterno: ....

• sufrir un golpe de realidad: ....

• tener un subidón anímico: ....

• volver a tu antiguo yo: ....

• sentirse en caída libre: ....

B.3 **¿Has experimentado alguna de las sensaciones anteriores? ¿Por qué? ¿Qué pasó? Explícalo brevemente.**

TRABAJAR EL LÉXICO

EXPRESIONES

B.4 **Escribe posibles situaciones en las que se podría...**

• viajar sin rumbo: ....

• pasear sin rumbo: ....

• hablar a destajo: ....

• vender a destajo: ....

• construir a destajo: ....

• trabajar a destajo: ....

ESE SENTIRSE...

B.5 Utiliza **es (como)** + sustantivo/infinitivo y **ese** + infinitivo para describir las sensaciones en las siguientes situaciones, como en el ejemplo.

1. Ver que has aprobado el último examen de la carrera es...
   → *como un arcoíris después de una tormenta.*
   → *ese no poder dejar de saltar y gritar.*

2. Que te toque la lotería es...

   como ....

   ese ....

3. Después de estar dos meses de viaje, ver a tus seres queridos es...

   como ....

   ese ....

4. El primer día de trabajo después de las vacaciones es...

   como ....

   ese ....

5. Quedar con alguien y que te dé plantón es...

   como ....

   ese ....

B.6 También podemos utilizar **ese/a/os/as** + sustantivo o **ese** + infinitivo para evocar características que resalten la particularidad de algo o alguien. Lee los ejemplos y completa las fichas con tus propias experiencias.

UN LUGAR

→ Menorca, para mí, son esas playas, ese azul turquesa del mar, ese despertar con el canto de los pájaros, ese respirar aire puro...

UNA PERSONA

→ Lo que admiro de Clara son esas ganas de vivir, esa risa espontánea, ese estar siempre disponible para ayudarte.

UNA ACTIVIDAD

→ Cuando voy al gimnasio suelo practicar spinning. Me encanta ese no pensar en nada, esa sensación de desahogo...

LA VIDA COMO CAMINO

B.7 Lee este correo. ¿Cómo traducirías estas expresiones a tu lengua? ¿Existen expresiones similares?

Querida Marta:

Ayer me fue fenomenal hablar contigo. Ahora creo que lo tengo todo mucho más claro. Como tú me decías, ya no puedo seguir así... y tienes toda la razón: necesito dar un giro radical a mi vida, dejar atrás mis miedos e inseguridades y mirar hacia delante en vez de hacia atrás.

Por eso, estoy planteándome muy seriamente irme a vivir a otro país, cambiar de aires. ¿Tú qué crees? Ya sé que me vas a decir que lo piense mejor antes de tomar una decisión tan drástica, que no espere que todo me vaya a ir rodado, que tengo que ir paso a paso porque luego, si me quedo a medio camino, es muy difícil volver al punto de partida. Pero es que, en serio, Marta, siento que estoy en un callejón sin salida. Que no soy capaz de avanzar y que estoy cada vez más bloqueada, en una verdadera encrucijada, sin saber qué hacer, hacia dónde ir o qué camino tomar.

seguir así ❯ *to continue like this/that*

dar un giro ❯ ....

dejar atrás ❯ ....

mirar hacia delante/atrás ❯ ....

cambiar de aires ❯ ....

ir rodado ❯ ....

paso a paso ❯ ....

(estar/quedarse) a medio camino ❯ ....

volver al punto de partida ❯ ....

estar en un callejón sin salida ❯ ....

avanzar ❯ ....

(estar en / ser una) encrucijada ❯ ....

ir hacia (un sitio) ❯ ....

tomar un camino / una dirección ❯ ....

LATINISMOS

B.8 Estas frases contienen latinismos de uso frecuente en español. Trata de decir lo mismo sin usar las expresiones destacadas.

1. Ayer vi *Tesis*, de Alejandro Amenábar. Es una peli estupenda. Parece mentira que sea su **ópera prima**. ❯ ....

2. Se suspendió la comparecencia de la ministra por falta de **cuórum**. ❯ ....

3. Las decisiones arbitrales siempre deben tomarse antes o durante el partido, pero nunca **a posteriori**. ❯ ....

4. El presidente abandonó el cargo **motu proprio**. ❯ ....

5. El consejo, después de varias horas de deliberación, alcanzó un acuerdo **in extremis**. ❯ ....

6. **A priori** no veo que haya ningún inconveniente para que se firme el contrato esta misma semana, pero tengo que confirmarlo. ❯ ....

7. A pesar de la crisis económica, nuestra renta **per cápita** sigue estando entre las más altas del mundo. ❯ ....

8. Hemos recibido muchos **curriculum vitae**. Mañana mismo empezamos a hacer entrevistas. ❯ ....

9. Cuantos más años cumplo, más claro lo tengo: la vida es un suspiro... Así que ¡**carpe diem**! ❯ ....

10. El Banco Mundial le ha dado un **ultimátum** al Gobierno. ❯ ....

TRABAJAR LA GRAMÁTICA

COMPARATIVAS CORRELATIVAS

B.9 Continúa las frases de manera lógica.

1. **Cuanto más** dinero tienes,
   más ....
   menos ....

2. **Cuanto mayor** te haces,
   mejor ....
   peor ....

3. **Cuanto más** cocinas los alimentos, ...
   ....

4. **Cuanto más** estudias una lengua, ...
   ....

5. **Cuantos más** amigos tienes, ...
   ....

6. **Cuanto más** cortas son las vacaciones, ...
   ....

7. **Cuanto más** tiempo pasas con alguien, ...

DESAPARECIDA LA EUFORIA INICIAL

B.10 Sustituye las palabras en negrita por estructuras equivalentes.

1. [...] te encuentras con que, **desaparecida la euforia inicial**, tienes que comenzar el proceso de readaptación a una vida que creías la de siempre.
   → una vez que ha desaparecido la euforia inicial / después de que haya desaparecido la euforia inicial / tras haber desaparecido la euforia inicial

2. Como es normal, **recuperada la salud**, todo ha vuelto a la normalidad.
   ....
   ....

3. **Conocido el resultado** de las elecciones, el candidato dimitió.
   ....
   ....

4. El deportista declaró que, **finalizados los JJ.OO.**, se retiraría.
   ....
   ....

OBSERVAR EL DISCURSO

COLOMBIA - BARCELONA

B.11 🎧 13 **Giselle, una colombiana que regresa a su país después de pasar 11 años en Barcelona, cuenta su experiencia como expatriada. A partir de lo que dice, escribe las posibles preguntas que le han hecho.**

1. ....
2. ....
3. ....
4. ....

B.12 🎧 14 **Escucha ahora las impresiones de Giselle después de llevar ya un tiempo viviendo de nuevo en Colombia. Anota las ideas principales.**

B.13 ¿Qué sensaciones comparte Giselle con María Sanz, la autora del artículo "Volver a casa después de vivir en otro país no es tan fácil como parece" (p. 132 del Libro del alumno)? Explícalo brevemente.

C | LA ALEGRÍA DEL BARRIO

PREPARAR EL DOCUMENTO

GÉNEROS MUSICALES

C.1 Investiga en internet sobre el origen de la rumba catalana y después decide si estas afirmaciones son verdaderas (V) o falsas (F).

1. La rumba catalana no es popular en toda España, solo en Cataluña. ☐
2. El padre de la rumba catalana es Camarón de la Isla. ☐
3. La rumba catalana nació en Barcelona entre las décadas de 1940 y 1950. ☐
4. Los dos cantantes de rumba catalana más importantes fueron Peret y Antonio González, "El Pescadilla". ☐
5. El son cubano influyó en la rumba catalana. ☐

C.2 Busca información en internet sobre uno de estos estilos musicales: cante jondo, copla o sevillana. ¿Cuál es el origen? ¿Quién o quiénes son los principales representantes? Comparte tus descubrimientos en clase.

C.3 🎧 15-18 **Vas a escuchar cuatro fragmentos musicales. Indica a qué género pertenece cada uno.**

SEVILLANA

RUMBA CATALANA

COPLA

CANTE JONDO

TRABAJAR EL LÉXICO

EXPRESIONES

C.4 Responde a estas preguntas.

- ¿Algún lugar de tu país o de tu ciudad tiene mala prensa? ¿Por qué? ....

- ¿A qué te aferras cuando estás lejos de tu familia y amigos? ....

- ¿Hay algo que "lleves en la sangre" por tu familia o el lugar donde has crecido? ....

- ¿Qué sueles hacer si te encuentras a paisanos tuyos cuando estás de vacaciones? ....

TRABAJAR LA GRAMÁTICA

POR MUCHO QUE

C.5 Completa con por mucho/a/os/as o por muy.

1. ¿No te das cuenta? .... serio que te pongas ahora, tus alumnos no van a respetarte. El curso que viene tienes que mostrarte más autoritario.

2. Carol es muy, pero que muy cabezota. No vas a poder hacer que cambie de opinión .... que lo intentes.

3. .... que busques, no vas a encontrar tu regalo. ¡No lo he escondido en casa!

4. Héctor ha probado más de 10 dietas y no se da cuenta de que .... dietas que haga, no va a perder peso. Tiene que empezar a hacer deporte.

5. .... alto que seas, no vas a poder cambiar la bombilla. Usa la escalera.

6. Lucía tiene un buen sueldo, pero .... bueno que sea, nunca podrá comprarse ese chalé. Cuesta casi 700.000 €.

7. Este año le he prometido a mis padres que .... caro que sea el billete, iré a casa por Navidad.

8. .... ruido que hagas no se va a despertar. Tiene el sueño muy profundo.

9. No hace falta que levantes la voz. .... que grites, no voy a hacerte caso.

10. .... que lo llamo al móvil, no contesta. ¿Le habrá pasado algo?

C.6 Transmite la misma información usando por mucho/a/os/as + sustantivo, por más que + verbo o por muy + adjetivo/adverbio + que.

1. Si quiero llegar a fin de mes, tengo que trabajar mucho. Aun así, no sé si lo voy a conseguir.

   → *Por mucho que trabaje, no sé si conseguiré llegar a fin de mes.*

2. Hemos revisado muchas veces el libro, pero eso no es garantía de que salga sin erratas.

   ....

3. Hace años que sufro de insomnio y no sé qué hacer. Ya he probado un montón de técnicas, pero ninguna me funciona.

   ....

   ....

4. Te prometo que, aunque esté muy cansada, al salir de trabajar paso un momento por tu casa.

   ....

5. Pablo me ha explicado muchas veces por qué ha llegado tarde, pero no me lo creo.

   ....

6. Aunque seas amiga de Inés, no te van a dejar pasar sin acreditación.

   ....

7. Le he insistido mucho a mi hijo para que estudie, pero no ha servido de nada.

   ....

8. Lo he intentado muchas veces, pero no soy capaz de dejar de fumar.

   ....

9. Le he dado muchas vueltas, pero no entiendo por qué Elena está enfadada conmigo.

   ....

10. He hecho esta receta un montón de veces, pero nunca me queda igual de bonita que a ti.

   ....

D PATRIA

ENTENDER EL DOCUMENTO

REFERENTES CULTURALES

D.1 En el artículo "Mi hispanidad", se citan con ironía algunos referentes culturales reconocibles por los españoles, como la sevillana y la selección. Busca información en internet y trata de explicar a qué se refieren.

TRABAJAR EL LÉXICO

HISPANIDAD

D.2 Clasifica estas palabras en la tabla según tengan para ti connotaciones positivas, negativas o ambas.

sentimiento de pertenencia   rechazo a los demás   desaguisado   derrota

malvivir   tiempos inciertos   sentimiento de patria   descalificar

trabajar duro   hacer frente (a)   compatriota

connotaciones positivas	depende	connotaciones negativas

D.3 Lee este fragmento y explica lo mismo con tus propias palabras.

"Mi tierra es la que labraron mis abuelos con gran esfuerzo, derramando sudor y lágrimas, algunos sangre, que ninguna bandera enjugó.

D.4 ¿Qué es el patriotismo para ti? ¿Es algo bueno o algo malo? Explícalo en pocas palabras.

TRABAJAR LA GRAMÁTICA

DIGAN LO QUE DIGAN

D.5 ¿Cómo traducirías esta frase a tu lengua?

"Tenga los colores que tenga y cuelgue de donde cuelgue."

D.6 ¿Subjuntivo o indicativo? Conjuga el verbo entre paréntesis en el tiempo y modo correctos.

1. No le hagas caso. Dice lo que dice porque está pasando por un mal momento y está agobiado.

2. Durante la guerra, la gente (comer) .... lo que .... porque no había otra cosa y tenía que sobrevivir.

3. (Decir, vosotros) .... lo que ...., no creo que Enrique sea culpable.

4. Pues (ponerse, yo) .... como .... porque ya estoy harta de tus tonterías. ¿O es que no me puedo enfadar?

5. Simón (hacer) .... lo que .... por vocación, no por dinero.

6. Me voy a comprar ese coche, (decir, tú) .... lo que ....

7. (Hacer) .... lo que ...., nunca se pone enferma. Tiene una salud de hierro.

8. Sara, si no te terminas el plato, no hay postre; (ponerse) .... como ....

9. (Oír) .... lo que .... cuando entres en la sala, no te creas nada. Son todas acusaciones falsas y sin fundamento.

10. Pues, el abuelo, pobre, (oír) .... lo que .... Es que ya tiene 93 años...

REDES SOCIALES

ENTRAR EN EL TEMA

TU PERFIL

A.1 Escribe el perfil de uno de estos tipos de usuario de las redes tomando como ejemplo los de la p. 141 del Libro del alumno.

EL AMIGO DE LOS ANIMALES   EL QUE NO COMENTA   EL *HATER*

a García Escobar

A.2 Completa estas frases de manera lógica.

- Los domingos **no hay mayor placer que** ....
....

- En el trabajo o en los estudios **no hay mayor satisfacción que** ....
....

- En la vida **no hay mayor riqueza que** ....
....

- **No hay peor manera** de empezar el día **que** ....
....

A.3 Lee lo que dice el *Diccionario panhispánico de dudas* sobre la construcción estar deseando + infinitivo y escribe tres frases usándola, una para cada perfil: el *gourmet*, el cotilla y el *selfiemaníaco*.

> **desear** 'Querer [algo] con vehemencia'. Se usa a menudo en la construcción **estar deseando** + infinitivo o subordinada introducida por **que**, con el sentido de 'tener muchas ganas [de hacer algo o de que algo suceda]': «*Yo estaba deseando irme*» (Millás, *Mujeres* [Esp. 2002]); «*Sé que estás deseando que yo te diga algo*» (Castillo, *Bolero* [Ven. 1990]).

1. ....
....

2. ....
....

3. ....

A.4 ¿A qué equivale cuando en esta frase? Márcalo.

"¿Para qué pedirle una taza de arroz a tu vecino y así ver cómo le han quedado las reformas **cuando** puedes echarle un vistazo a su perfil de Facebook?"

☐ en el momento que

☐ si, en lugar de eso,

A.5 ¿Qué otras cosas te permiten hacer Facebook y otras redes? Escribe tres frases con ¿Para/por qué... cuando...?

1. ....
....
....

2. ....
....

3. ....
....
....

TRABAJAR EL LÉXICO

SOLETE Y SOLAZO

B.1 Marca cuál es la interpretación correcta de los siguientes ejemplos.

1. Rosa es una **madraza**. Sus hijos no se despegan de ella, la adoran.
   - ☐ Rosa está muy fuerte.
   - ☐ Rosa es muy buena madre.

2. ¡Qué **conciertazo**! Se han pasado un poco con el precio de las entradas, pero ha valido la pena.
   - ☐ Ha sido un concierto multitudinario.
   - ☐ Ha sido un buen concierto.

3. ¡En este restaurante sirven unos **platazos**! Yo nunca consigo acabármelo todo.
   - ☐ Ponen mucha cantidad.
   - ☐ Los platos son de una calidad excelente.

4. Nuestro hotel estaba completo y nos mandaron a otro. ¡Menudo **hotelazo**! Tenía hasta *jacuzzi* en la habitación.
   - ☐ Era un hotel de lujo.
   - ☐ El hotel era muy grande.

5. ¡Qué **calorazo**! No se puede ni salir a la calle.
   - ☐ Hace mucho calor.
   - ☐ El calor está durando mucho.

6. No me extraña que le hayan dado un Óscar. Es un **actorazo**. Borda todos los papeles que hace.
   - ☐ Es un actor mayor.
   - ☐ Es muy buen actor.

7. Ya he hablado con mi superior sobre mi intención de reducir la jornada. Ahora tengo que hablar con el **jefazo**.
   - ☐ Es el jefe más importante de la empresa.
   - ☐ Es uno de los cargos intermedios de la empresa.

8. Un compañero de clase me dio un **libretazo** y casi me saca un ojo.
   - ☐ Me dio una libreta muy grande.
   - ☐ Me dio un golpe con una libreta.

9. Kiko y Vicente se han comprado una **casaza**. Creo que tienen intención de aumentar la familia.
   - ☐ La casa es muy grande.
   - ☐ La casa es muy moderna.

10. No sé nada de Silvia desde ayer. Discutimos y se fue de casa dando un **portazo**.
    - ☐ Cerró la puerta con violencia.
    - ☐ Dio una patada a la puerta.

B.2 Marca en la tabla qué sentido aporta en cada una de las frases anteriores el sufijo –azo/a y si la palabra derivada cambia de género con respecto a la palabra base.

	cantidad/ tamaño	calidad	golpe	cambia el género	no cambia el género
1					
2					
3					
4					
5					
6					
7					
8					
9					
10					

B.3 Fíjate en el ejemplo y transforma estas frases respetando el sentido que aporta –ón.

1. He empezado a ver *Juego de tronos* y me parece un **serión**, estoy enganchadísimo.
   → *Me parece una serie buenísima.*

2. Mi padre ha dejado de hacer deporte y se le ha puesto un **barrigón**...

3. ¡Qué **fiestón** montamos por el cumple de Claudia! Qué lástima que no estuvieras.

4. —¿Qué te ha pasado en la pierna?
   —Nada, me dieron un **patadón** jugando al fútbol.

5. La familia de Miguel montó un negocio de *catering* e hizo un **fortunón**.

6. El otro día Hugo se pegó un **hostión** con la bici. Al principio me asusté, pero se levantó por su propio pie. Tiene algunos rasguños, pero no es nada grave.

7. Acabo de leerme *La carretera*, de Cormac McCarthy, y me ha parecido un **novelón**. Te la recomiendo.

8. ¿A dónde vas con esos **zapatones**? Pareces un payaso.

B.4 ¿–azo/a u –ón/ona? Expresa lo mismo usando la palabra destacada con uno de los dos sufijos. Consulta internet si lo necesitas. Puede haber más de una opción.

- mucho **pelo** y voluminoso, sano: ➜ *pelazo*
- muy buen **cuerpo**: ....
- **ojos** muy bonitos: ....
- **ojos** muy grandes: ....
- **cabeza** grande: ....
- **nariz** grande: ....
- **boca** grande: ....
- **manos** grandes: ....
- golpe dado con la **mano**: ....
- **dedos** grandes: ....
- golpe dado con el **puño**: ....
- golpe dado con el **codo**: ....
- golpe dado con la **rodilla**: ....

- **culo** grande: ....
- **culo** bonito: ....
- golpe dado con el **culo**: ....

B.5 Relaciona estas expresiones en las que se usan palabras con los sufijos –azo/a y –ón/ona con su significado correspondiente.

dar carpetazo	1	A · Llamar mucho la atención hasta el punto de ponerse en ridículo.
ser cabezota, cabezón/ona	2	B · Tener un enfrentamiento o discusión fuerte y puntual con alguien.
dar el cantazo	3	C · Dar por terminado un asunto o desistir.
tener un encontronazo	4	D · Ser aburrido.
hacer botellón	5	E · Persona que habla más de lo debido y de forma indiscreta.
pillar un colocón*	6	F · Consumir grandes cantidades de alcohol en la vía pública.
ser (un/a) bocazas	7	G · Algo que se considera muy bueno, original.
ser un coñazo*	8	H · Estar bajo los efectos del alcohol, de la droga o de un medicamento.
ser un puntazo	9	I · Ser terco, obstinado.

NI IDEA

B.6 Reformula la parte destacada en estas frases sin usar la expresión con ni.

1. ¿De verdad están juntos Malena y Carmelo? ¡Pero si **no pegan ni con cola**!

   ➜ *No tienen nada que ver / No tienen nada en común.*

2. Le he preguntado a Josefina si sabe algo de la fiesta de empresa, pero **no** me **ha dicho ni mu**.

   ....

3. O invitamos a José o invitamos a Iván, pero a los dos no, que **no se pueden ver ni en pintura**.

   ....

4. Derramé vino en el vestido y creía que la mancha no se iría, pero lo he llevado a la tintorería y **no queda ni rastro**.

   ....

5. El otro día vi una película francesa en versión original y **no entendí ni papa**. Pensaba que tenía más nivel.

   ....

6. El año pasado fui a un festival de música tecno y fue un agobio. No volvería **ni en broma**.

   ....

¡atención!

Expresiones equivalentes:

- *ni papa / ni jota*
- *ni mu / ni pío / ni media palabra*
- *ni borracho/a / ni loco/a / ni en broma / ni en sueños / ni por asomo*

B.7 Marca en cada caso la expresión con más sentido.

1. —¿Te parece que la falda pega con esta camiseta?
   —Uy, no, **ni jota / ni con cola**.

2. —Juana, tengo malas noticias... Virginia también va al concierto y quiere venir con nosotros.
   —¿En serio? Uf, es que no la puedo ver **ni en pintura / ni rastro**.

3. —¿Con quién va Gema al concierto?
   —No tengo **ni idea / ni en broma**.

4. —Se me ha estropeado el ordenador y no hay manera de arreglarlo. ¿Tú sabes algo de informática?
   —**Ni papa / ni mu**.

5. —¿Dónde se ha metido Lidia? Estaba aquí hace un momento.
   —No lo sé. Yo también la he estado buscando y **ni en pintura / ni rastro**.

6. —Me quedé un poco mal después de lo que me dijo Chus.
   —Nora, no te preocupes. Es un borde, así que **ni caso / ni papa**.

7. —Oye, no cuentes nada de todo esto a nadie, ¿eh?
   —Tranquilo, que no diré **ni pío / ni con cola**.

8. —Me encantaría tirarme al mar desde un acantilado. Seguro que es increíble. ¿Tú lo harías?
   —¿Qué dices? Yo **ni rastro / ni loco**.

TRABAJAR LA GRAMÁTICA

QUE INDEPENDIENTE

B.8 Las expresiones en negrita sirven para expresar buenos o malos deseos. En estas situaciones, ¿qué se dice en tu lengua?

1. —Me voy a casa, que estoy hecho polvo.
   —Vale, venga, **que descanses**.

   > ....

2. —Acaban de llamarme de la oficina. Tengo que ir a hacer una cosa urgente. No sé a qué hora terminaré.
   —¡Pero si es sábado! Bueno, pues ya llamarás cuando salgas. **Que te sea leve**.

   > ....

3. —Primero me dices que viene, luego que no, luego que sí, pero solo si no viene no sé quién. Mira, ¿sabes que te digo? **¡Que te den!**

   > ....

4. —Han echado a Rafa del trabajo. ¿Lo sabías? Se ve que siempre llegaba tarde y la ha cagado varias veces.
   —Este tío es un desastre y un vago. Mira, **que aprenda**, a ver si la próxima vez se lo toma más en serio.

   > ....

5. —¿Qué comes?
   —Ensalada de pollo. ¿Quieres?
   —No, gracias, ya he comido. **Que aproveche**.

   > ....

B.9 Lee estas frases y marca si la construcción destacada sirve para expresar indiferencia (I), conceder permiso (P) o proponer una solución (S).

1. —Jaime, está aquí el Sr. Pérez.
   —Estoy con una llamada. **Que pase** en diez minutos. ☐

2. — Carla no va a venir a cenar porque dice que la pizza no le gusta.
   —A ver, es el cumpleaños de Laura y le apetece ir ahí. **Que coma** otra cosa. Digo yo que tendrán más platos además de pizza, ¿no? ☐

3. —Ana está agobiadísima porque se le ha estropeado el ordenador y no puede recuperar unos archivos.
   —**Que llame** a Salva, sabe mucho de informática. ☐

4. —No me da tiempo de ir a buscar la tarta que encargamos, todavía tengo que preparar los entrantes.
   —**Que vaya** Felipe, que vive al lado de la pastelería. ☐

5. —Si no le dices a Sara que estás embarazada, se va a enfadar.
   —**Que se enfade**. Se lo digo a quien me da la gana. ☐

6. —Inma me ha pedido que te dé las gracias por toda esa ropa de bebé que le diste. Le vendrá muy bien.
   —Me alegro. Es que es una pena no aprovecharla, la llevan tan poco tiempo que muchas cosas están casi nuevas. De todas formas, **que tire** lo que no le vaya a servir. No hay problema. ☐

7. —Uff, no puedo más, tengo que ir al baño. Voy a parar aquí un momento.
   —Oye, pero está prohibido... Como venga la policía, te van a multar.
   —**Que me multen**, pero no aguanto más. ☐

B.10 Cuando expresamos indiferencia con que + subjuntivo, es habitual repetir el verbo usado por nuestro interlocutor. Reacciona ante estas cosas expresando indiferencia.

1. —Creo que Carlos se ha puesto celoso porque vas al cine con Miguel.

2. —Dice Jorge que no va al concierto con nosotros, que va con los colegas del trabajo.

3. —Sam no viene. Prefiere quedarse en casa.

4. —¿No te preocupa que Iker vaya diciendo por ahí cosas malas de ti?

5. —Tomás va a estar quejándose todo el día si no hacemos lo que dice.

B.11 Propón lo que otras personas podrían hacer en estas situaciones. Usa que + subjuntivo.

1. —Álvaro me ha pedido prestado el coche para ir el fin de semana a una playa en las afueras de la ciudad, pero no se lo quiero prestar. Es un irresponsable.

2. —Mi vecino se va fuera un par de semanas y me ha pedido que le cuide el gato mientras él no está. No quiero ser mal vecino, pero es que no me gustan los gatos y el vecino ni siquiera me cae bien.

3. —Oye, Mireia... Te quería comentar una cosa. Es que tengo unos amigos que vienen de visita a la ciudad y yo no tengo sitio... ¿A ti te importaría que se quedaran en tu casa una semana? Ya sé que estás muy liada...

4. — Mi hijo no ha tenido tiempo de hacer el trabajo debido a un contratiempo familiar. ¿Sería posible retrasar la fecha de entrega?

5. — Mi madre no sabe qué hacer con lo del viaje organizado. Le gusta el itinerario, pero hay algunas excursiones programadas que no quiere hacer.

TRABAJAR LA ORTOGRAFÍA

ERRORES DE ORTOGRAFÍA Y PUNTUACIÓN

B.12 Corrige los errores de puntuación y de ortografía que encuentres.

 Alicia · 20 horas

Segunda vez que me llaman "gorda"... pero que imbéciles hay por el mundo en serio!! ¡QUE OS DEN!

👍 Me gusta   💬 Comentar   ➤ Compartir

 María González, John Carpenter y 20 personas más

5 veces compartido

 Belén Aliii pasa d esa gentuza!!!! Que hay mejor q tener buenas curvas!!! Mas vale eso q huesos... 💃
Me gusta · Responder · 19 horas

 Alicia Tía, es que es muy fuerte, estoy harta de que utilicen ese calificativo para meterse con la gente!! la peña es idiota, de verdad. No tienen ni idea!!
Me gusta · Responder · 19 horas

Hugo Yo soy gordo y qué... que digan lo que quieran!!! Soy feliiiiiiiiiiiz jajaja 😊😊😊
Me gusta · Responder · 19 horas

 Alicia Jajaja. No, si yo también soy feliz.
Me gusta · Responder · 18 horas

 Lola Tu goorda? 😳 eiing? si no lo estas... tienes un cuerpazo. Olvídate de esa gentuza! K tienen muy poka vida y se andan metiendo en la d los demás y para kolmo utilizando calificativos "de su nivel". Ánimo! Pork la gente k te kiere es la k está a tu alrrededor y t lo demuestra cada día con eso t basta y te sobra no krees? Mua 🖤🖤
Me gusta · Responder · 18 horas

 Eva Seguro q te lo dirán por envidia de la belleza que te sobra y ellos nunca podrán tener, porq no creo que te sobren kilos, lo que te sobra es belleza... asi q a palabras necias, oidos sordos, bellezón!!
Me gusta · Responder · 18 horas

 Alicia Eres un solete grandote. 🌼🌼🌼🌼🌼
Me gusta · Responder · 18 horas

 Belén La belleza no se mide por el exterior, sino por el interior. Todo lo superficial se pierde con los años...! Ni caso, bonita!
Me gusta · Responder · 17 horas

 Alicia Yaaaa, tía, pero es que menudo bajón.
Me gusta · Responder · 17 horas

¿ENTRE VIVIRLO Y CONTARLO? CONTARLO

TRABAJAR EL LÉXICO

CONSTRUCCIONES VERBALES

C.1 Coloca los predicados de estos ejemplos en la tabla según el tipo de construcción de cada uno.

1. "¿Sabes eso que sientes cuando **le gustas a una chica**?"
2. "**La ha dejado** el novio."
3. "**Ha pasado de** mí."
4. "**Me apetece** verte..."
5. "No **le guardo rencor**."
6. "Esta es que **me acosa**."
7. "Ahora no me contesta, **se está haciendo el duro**."
8. "[...] que **se cortaran** un poco."
9. "Y **se hace de rogar**."
10. "Uf, eso **me pone a mil**."
11. "Bueno, **nos lo estamos tomando con calma**, pero..."

tipo de construcción	verbo
sujeto + (me/te/se/nos/os/se) + verbo	
sujeto + verbo + CD (me/te/lo/la/nos/los/las)	
sujeto + (me/te/se/nos/os/se) + verbo + CD (me/te/lo/la/nos/los/las)	
sujeto + (me/te/le/nos/os/les) + verbo + CD + CI	
a + CI + (me/te/le/nos/os/les) + verbo + sujeto	gustarle a alguien
sujeto + verbo + comp. preposicional	

C.2 Escribe tus propios ejemplos con los verbos anteriores.

1.
2.
3.
4.
5.
6.
7.
8.
9.
10.
11.

C.3 Explica qué quiere decir la expresión con el verbo **hacerse** marcada en negrita en estas frases.

1. David lleva toda la semana escibiéndome wasaps, le he contestado y ya no ha vuelto a escribirme; **se está haciendo el duro**.

2. **Se ha hecho tarde**, ¿nos vamos?

3. **Hazte a un lado**, que no veo la tele.

4. Los ladrones **se hicieron con un buen botín**.

5. Fue difícil al principio, pero ya **me he hecho con la situación** y me siento más seguro.

6. Ignacio decía que quería ser abogado, como su padre, pero al final **se hizo médico**.

7. ¿Qué **se hizo de** ese chico que salía con Celia? Hace años que no lo veo.

C.4 Lee estas acepciones del verbo pillar y los ejemplos de uso en lengua coloquial. Traduce a tu lengua el verbo **pillar** en cada frase. ¿Se traduce siempre con el mismo verbo?

1. Alcanzar o atropellar embistiendo.

→ Ernesto echó a correr tras el ladrón y lo pilló enseguida.

‣ _____

→ A Julián lo pilló una moto. Se ha roto el brazo.

‣ _____

2. Aprisionar a alguien con daño o aprisionar algo.

→ Me pillé los dedos con una puerta y tengo que llevar la mano vendada dos semanas.

‣ _____

3. Sorprender a alguien cometiendo un delito o engaño.

→ Ruth me ha pillado hablando con su novio; espero que no descubra lo de la fiesta sorpresa.

‣ _____

4. Contraer o empezar a padecer.

→ La hija de Bea ha pillado el sarampión y estará algunos días en observación en el hospital.

‣ _____

5. Sorprender a alguien, cogerlo desprevenido.

→ Me pillas saliendo de casa. En media hora te llamo yo, que tengo que hacer unos recados.

‣ _____

6. Comprar.

→ Estoy en el súper. He pillado brócoli, champiñones, acelgas, tomates, cervezas y aceitunas. ¿Necesitamos algo más?

‣ _____

7. Encontrarse algo en determinada situación respecto a alguien.

→ Esta tarde pasaré por tu casa a por los libros, que me pilla de camino.

‣ _____

8. Comprender algo.

→ Ya lo he pillado, no hace falta que me expliques por cuarta vez cómo funciona el programa.

‣ _____

9. Enamorarse.

→ ¿Que qué haría si mi pareja se pillara por mi hermana? Pues nada, qué voy a hacer. Si se gustan...

‣ _____

C.5 Traduce las expresiones a tu lengua y anota los sentidos de **ir de**.

1. "**Va de malote**, pero para chunga, yo."

‣ _____

2. En España está mal visto **ir de blanco** a una boda.

‣ _____

3. Algún día de esta semana voy a **ir de compras**, que ya han empezado las rebajas.

‣ _____

4. Nos lo pasamos genial en carnaval. **Íbamos de personajes de series** y todo el mundo quería hacerse fotos con nosotros.

‣ _____

TRABAJAR LA GRAMÁTICA

QUE + INDICATIVO/SUBJUNTIVO

C.6 Relaciona estas frases con que + indicativo con el uso correspondiente.

1. —Oye, ¿dónde estás? Llevo un buen rato esperándote...
   —¡**Que habíamos quedado**, es verdad! Lo siento, se me olvidó.

2. —Toma, el último trozo de tarta.
   —**Que no tengo** hambre, ya te lo he dicho hace cinco minutos.

3. —Puede que tú sí que hayas visto esta peli, pero yo no.
   —**Que** la **vimos** juntos. ¿De verdad no te acuerdas?

4. —¡Oye, **que** ya **es** 25 de junio! Tenemos que reservar el alojamiento de las vacaciones esta semana sin falta.
   —¡Uf! Cómo pasa el tiempo de rápido.

☐ Repetir algo o expresar insistencia.
☐ Discrepar.
☐ Avisar al interlocutor de algo que no ha percibido.
☐ Retomar un tema del que se había hablado antes.

C.7 Expresa lo mismo en cada caso usando ¿a que...?

1. Qué buena me ha quedado la paella, ¿verdad?
   ....

2. Adivina con quién me he cruzado hoy por la calle.
   ....

3. Mira, este plato está marcado como "extremadamente picante". ¿Te atreves a probarlo?
   ....

4. A ver quién termina antes el examen. Seguro que yo.
   ....

5. ¿Que no me atrevo a decírselo? Verás como sí.
   ....

OBSERVAR EL DISCURSO

LENGUAJE VULGAR

C.8 Lee estas frases que contienen expresiones vulgares con el verbo cagar y di lo mismo en un registro más neutro.

1. Félix ha ido al médico porque llevaba casi una semana sin **cagar**. Se ve que le pasa a menudo.
   ....

2. Reservar todos los hoteles con antelación fue una **cagada**. Ahora no podemos improvisar nada durante el viaje.
   ....

3. **Me estoy cagando** vivo. ¿Hay algún baño por aquí cerca?
   ....

4. No me gustó nada la película *The ring*. **Me cagué** de miedo.
   ....

5. **La he cagado** al decirle a mi novio que le fui infiel. No me va a perdonar nunca.
   ....

6. Carlos no querrá hacer *puenting*. Es un **cagado**.
   ....

7. **Me cago en** el inventor del sistema abrefácil. A ver si tú puedes abrir la lata, que yo llevo diez minutos y no lo consigo.
   ....

8. La pizza está **que te cagas**. Has hecho tú la masa, ¿verdad? ¡Qué rica!
   ....

9. Los socorristas avisaron de que había muchas medusas y la gente empezó a salir del agua **cagando leches**.
   ....

10. Mira, tío, **vete a cagar**. No tengo por qué aguantar más tus gilipolleces.
    ....

D UN 10 PARA...

TRABAJAR EL LÉXICO

NI NADA

D.1 Fíjate en estas frases coloquiales y relaciónalas con el sentido que tiene la expresión ni nada en cada una.

☐ Él me respondió al momento: "¿Qué?", pero **sin** tilde **ni nada**.

☐ **No** es listo **ni nada**. Este niño llegará lejos.

☐ **No** hay gente **ni nada** en este restaurante. Mejor buscamos otro sitio para comer.

☐ Me pareció un poco maleducado que se fuera **sin** avisar **ni nada**. Estábamos preocupados...

1. Expresa lo contrario de lo que se niega.

2. Refuerza la ausencia de lo que se considera esperable.

D.2 Transforma la parte destacada usando ni nada.

1. **Se nos ha hecho muy tarde**. ¿Nos vamos?

   ....

2. María ha venido a cenar directamente del trabajo. **Ni siquiera ha pasado por su casa.**

   ....

3. **Qué morro tiene Luis, ¿no?** Se ha ido sin pagar.

   ....

4. **Me ha costado un montón encontrar piso**, ¡pero por fin lo conseguí!

   ....

5. Tengo que comprarme un ordenador, pero no me decido. **Es que son carísimos.**

   ....

TRABAJAR LA GRAMÁTICA

FUTURO

D.3 ¿Qué valor tiene el futuro en estas frases? Indícalo con el número correspondiente.

1. "¿Por qué mentimos en internet?", dijo de repente. "Oiga, **mentirá** usted", pensé.

2. Javi no sospecha nada de la fiesta sorpresa. Está convencido de que vamos al cine. ¡**Será** ingenuo...!

3. Mejor te llamo otro día, que después del día tan agotador que has tenido, **querrás** descansar.

☐ Tiene carácter valorativo. Expresa sorpresa y equivale al presente.

☐ Introduce una conjetura que pide confirmación.

☐ Se usa para rechazar lo dicho por otra persona.

D.4 Reacciona usando el futuro, como en el ejemplo, para rechazar lo dicho por otra persona.

1. —A los niños **no les gusta** la fruta.
   —No les gustará a tus hijos, a los míos les encanta.

2. —El cine europeo **es mejor** que el americano, sin duda.
   — ....

3. —Podríamos decirle al guía que **estamos cansados**, a ver si nos deja hacer un descanso, ¿no?
   — ....

4. —He pedido que apaguen el aire acondicionado porque **tenemos frío**.
   — ....

5. —Todo el mundo **prefiere** el verano al invierno.
   — ....

D.5 Lee estas frases. ¿En qué contexto se han podido decir? Escríbelo.

1. ¡Qué notición! **Querrás** que todos se enteren. ....

2. Te dejo tranquilo, que **querrás** estudiar. ....

3. **Querrás** comer algo. ¿Te preparo un bocata? ....

4. **Estarás** deseando conocerlo en persona, ¿no? ....

5. Te dejo, que **tendrás** ganas de descansar. ....

D.6 Completa las frases con alguna de estas expresiones.

| será mentiroso/a | será tonto/a | será irresponsable | será caradura |
| será malpensado/a | será borde | será quejica |

1. Carlota se ha pasado el viaje protestando por todo. ....

2. ¡Que no pasó nada con Héctor el sábado! ....

3. ¿Cómo que no le dijimos nada? ¡Pero si lo llamé para avisarle de que no podía ir al curso y me dijo que tampoco iría! ....
....

4. No entiendo cómo no se dio cuenta de que le estaban tomando el pelo. ....
....

5. Mi compañero de piso tiene un examen mañana a primera hora y esta noche se va de fiesta. ......
....

6. Otra vez mi compañero se va a las 19 h y me dice a mí que termine de meter los pedidos en el ordenador y cierre caja. ....
....

7. ¿Ese que acaba de pasar no era Tomás? Ni siquiera ha saludado... ....
....

OBSERVAR EL DISCURSO

DE MIL MANERAS

D.7 Observa cómo se describe la manera de hacer las cosas en estas frases del texto "Vota mi cuerpo (punto com)" y reescríbelas intercambiando los mecanismos del cuadro.

> adverbio en -**mente**
> **sin** + infinitivo/sustantivo
> **con** + sustantivo
> **de forma**/**manera** + adjetivo

1. Intentaron convencerme de lo contrario, y **de la manera más torpe.**
....

2. Era una de esas tardes en que uno acaba, casi **sin quererlo**, en una conferencia.
....

3. Y **torpemente** escribió una dirección sobre la barra del navegador.
....

4. Mientras una chica apretaba el mentón **con firmeza.**
....

5. La conferencia fue aplaudida **con total corrección.**
....

6. "Joven, usted no ha aprendido nada", me soltó **inesperadamente.**
....

7. La verdad de lo que somos responde a una imagen que proyectamos **insistentemente** sobre los demás.
....

8. Añadió **con gracia.**
....

9. Y me desconecté **sin saber** si estaba diciendo la verdad o no.

S de se duc ción

A PROFESIONALES DE LA SEDUCCIÓN

ENTRAR EN EL TEMA

¿QUÉ TE SEDUCE?

A.1 ¿De qué manera relacionas estas palabras con la seducción? Explícalo.

- fascinación: ....
- enamoramiento: ....
- piropo: ....
- sugestión: ....
- tentación: ....
- persuasión: ....
- atracción: ....
- liderazgo: ....
- engaño: ....

→ Para mí, la atracción es parte de la seducción. Creo que si algo o alguien te seduce es porque te atrae, en todos los sentidos de la palabra.

A.2 Relaciona las profesiones con las habilidades.

	Tiene que tener mano izquierda.	Tiene que infundir respeto.	Tiene que saber no implicarse emocionalmente.	Tiene que parecer cercano.	Tiene que transmitir confianza.	Tiene que tener labia.	Tiene que conectar con la gente.	Tiene que tener don de gentes.
profesor/a								
policía								
publicista								
médico/a								
abogado/a								
vendedor/a								
farmacéutico/a								
arquitecto/a								
periodista								

A.3 Crea combinaciones posibles con estos sustantivos y estos adjetivos. Haz todas las combinaciones posibles. Puedes comprobar si son frecuentes en internet o en clase con tu profesor.

espontáneo/a
franco/a   natural
sensual   ronco/a
clásico/a   pícaro/a
contagioso/a
malicioso/a
misterioso/a
elegante

una mirada ▸ ....
una belleza ▸ ....
un carácter ▸ ....
un tono de voz ▸ ....
una forma de reir ▸ ....
una forma de caminar ▸ ....

B LAS CLAVES DE LA SEDUCCIÓN

TRABAJAR EL LÉXICO

PALABRAS DERIVADAS

B.1 Elige en cada caso la opción más conveniente.

1. No puedo dejar de mirar esta imagen. Es **hipnótica/enamoradiza**.

2. Fabio no puede evitar coquetear con todas las mujeres. Es un **seductor/engañoso** nato.

3. Tanto el novio como la novia iban guapísimos e irradiaban felicidad. Estaban **conquistadores/deslumbrantes**.

4. Yara me confesó que se sentía **atraída/persuadida** por un colega de trabajo. No sé qué va a hacer, pero a mí me parece que no es conveniente mezclar trabajo y amor.

5. No te imaginas la **fascinación/ilusión** que tiene mi hijo por el nuevo profesor de lengua. No sé cómo lo hace, pero tiene a todos los alumnos motivadísimos.

6. Me siento **persuadida/engañada**. No sé cómo pude creerme todas sus mentiras.

7. La oferta es muy **tentadora/persuasiva**, pero tendría que cambiar de ciudad y no me apetece. No creo que acepte el trabajo.

8. La clave del trabajo de vendedor es ser **engañoso/persuasivo**.

ÉXITO

B.2 Prepara cuatro fichas como la del ejemplo. En clase, léeselas a tus compañeros; tendrán que adivinar de quién se trata.

Nombre:
Marie Curie

→ Su gran amor por la ciencia, su paciencia y su tesón la convirtieron en una de las primeras científicas de su época. La obtención del Premio Nobel de Física y Química hizo de ella un referente en el mundo de la ciencia.

Nombre:
....
....
....
....
....
....
....
....
....

Nombre:
....
....
....
....
....
....
....
....
....

Nombre:
....
....
....
....
....
....
....
....
....

Nombre:
....
....
....
....
....
....
....
....
....

TRABAJAR LA GRAMÁTICA

COMO SI FUERA AYER

B.3 Completa estas frases de manera lógica.

1. El coche que teníamos delante iba haciendo eses **como si** ....

2. Estábamos comiendo todos juntos y Sara estuvo todo el tiempo sin decir nada, **como si** ....

3. Ayer hablé con Bárbara sobre el tema de la limpieza del piso y me miraba **como si** ....

4. Álvaro tiene un examen este lunes, pero mañana se va con los amigos a una casa rural, **como si** ....

5. Me iba a ir de vacaciones solo dos semanas, pero mi madre se despidió de mí **como si** ....

6. No conozco a nadie más mandón que Mónica. Da órdenes **como si** ....

7. Luis se lo pasó fenomenal en la fiesta, cantando y bailando **como si** ....

B.4 Explica qué sentido tienen las frases destacadas en las siguientes conversaciones.

1. —Siento haberte dejado plantada ayer, pero es que tenía que ver a Jaime… ¿Tú qué hiciste al final? ¿Te lo pasaste bien?
   —¡**Como si te importara!** No hace falta que muestres interés solo porque te sientes culpable… Lo hecho, hecho está.

   ❯ ....

2. —Leticia, ven aquí. Ayúdame a poner la mesa.
   —Pero bueno, **como si yo estuviera sin hacer nada**… ¿No ves que estoy preparando la ensalada? Cuando termine, te ayudo.

   ❯ ....

3. —Deberías ir al gimnasio, al menos para no sentir que estás tirando el dinero.
   —¡**Como si lo estuvieras pagando tú!** Deja que haga lo que me dé la gana. Y si quiero tirar el dinero, pues lo tiro, que para algo es mío.

   ❯ ....

OBSERVAR EL DISCURSO

¡DE QUÉ MANERA!

> adverbios en -**mente**
> **sin** + infinitivo/sustantivo
> **con** + sustantivo
> **de forma/manera** + adjetivo

B.5 Utiliza los recursos del cuadro para expresar de otra manera las partes destacadas.

1. Cuando entran en un lugar, las miradas caen **irremediablemente** sobre ellos.
   → sin remedio, sin poder evitarlo

2. Los seductores fascinan por igual, **sin distinción**, a hombres y a mujeres.
   ❯ ....

3. Los seductores te escuchan **con atención**, como si estuvieras a punto de desvelarles el secreto mejor guardado del mundo.
   ❯ ....

4. Se sienten bien con ellos mismos y te ofrecen toda su simpatía **sin esperar nada a cambio**.
   ❯ ....

5. Juegan con el misterio **de manera sutil**, por eso sus movimientos son lentos y delicados.
   ❯ ....

6. Te miran a los ojos sin agredirte, te aprietan la mano **sin intimidarte** y te abrazan **con suavidad**.
   ❯ ....

7. Nunca se ríen **con agresividad** ni **de forma desproporcionada**.
   ❯ ....

8. Dominan **con maestría** la palabra, las pausas, la entonación, la vocalización y otros recursos lingüísticos.
   ❯ ....

9. Los seductores son **inequívocamente** expertos en el arte de la oratoria.
   ❯ ....

ACTUAR

¿CÓMO SEDUCEN?

B.6 Busca en internet esta escena en versión original o en español y describe de qué manera está presente la seducción. ¿Qué hace el personaje para seducir? Piensa en otros ejemplos de seducción en el cine y crea tus propias fichas. Después, compártelas en clase con tus compañeros.

Discurso de **Tyler Durden** (Brad Pitt).
El club de la lucha.

C ¿ESTÁN DE MODA LOS *INFLUENCERS*?

PREPARAR EL DOCUMENTO

¿CÓMO SON LOS *INFLUENCERS*?

C.1 Escribe qué es un *influencer* y algunas de sus principales características.

TRABAJAR EL LÉXICO

IR A LA ÚLTIMA

C.2 Piensa en la actualidad y completa estas frases.

- El móvil **de última generación** es ....
- Para **ir a la última** en lo que se refiere a moda, ...
- Uno de los **éxitos** musicales del año ha sido ....
- Los temas (sociales, políticos...) más **en boga** son ....
- En cuanto a informática, **ha quedado obsoleto** ....
- La red social **de moda** es ....
- La serie de TV que **lo ha petado*** ha sido ....
- Un/a artista que **causa sensación** es ....
- Un deporte que **se lleva** mucho es ....

(*coloquial)

C.3 Piensa en la moda actual y completa la tabla. Si lo necesitas, investiga en internet. Después, pon en común en clase las cosas que has escrito. ¿Hay coincidencias?

Qué es tendencia	Qué no es tendencia
→ los pantalones tobilleros	→ las hombreras

Qué se vuelve a llevar	Qué se sigue llevando
→ la falda plisada	→ las camisas de tejido "denim"

C.4 En la actividad C.2 aparecen algunas expresiones con la palabra *último/a*. Fíjate en estos otros ejemplos y tradúcelos a tu lengua. ¿Se usa también la palabra *último/a* para referirse a lo más nuevo?

1. Carlota está muy al día de las tendencias de moda. Viste **a la última**.

   > ....

2. En esta compañía de alquiler de vehículos tienen automóviles **último modelo**, furgonetas, todoterrenos, motos...

   > ....

3. Este tipo de chaqueta es **el último grito** en moda. Lo llevan todas las famosas.

   > ....

4. Las cámaras y sensores **de última generación** permiten que el negocio esté constantemente vigilado y lo convierte en un establecimiento seguro.

   > ....

5. **Lo último en** bodas ahora es celebrarlas en entornos naturales y con un estilo un tanto campestre.

   > ....

TRABAJAR EL LÉXICO

CANTIDAD

C.5 Elige la opción más adecuada en cada caso.

1. Los propietarios piden una cantidad **considerable/insignificante** de dinero por la casa. No nos la podemos permitir.

2. Este fin de semana he hecho **la mar de / la de** cosas: he ido a patinar, al cine, a la playa, he visitado a mi abuela, he ido de compras...

3. ¡Uf! **La de / una serie de** gente que hay haciendo cola en esta tienda. ¿Estarán regalando algo?

4. ¡Qué simpático es este niño! Seguro que en el cole tendrá amigos **y pico / a patadas**.

5. No conozco muy bien Madrid, pero me han dicho que por este barrio hay **un montón de / la friolera de** bares.

6. El menú cuesta **alrededor de / mogollón de** 45 euros.

7. En su viaje a Estados Unidos, Alberto se gastó **el montón de / la friolera de** 7000 euros.

8. He oído que en la manifestación a favor de la reforma educativa había cien personas **reducidas/contadas**. No sé si sería por la lluvia...

9. Me han dicho que el pedido tardará en llegar **una barbaridad de / cosa de** dos semanas. ¿Te parece bien?

ADJETIVOS TERMINADOS EN –BLE

C.6 Reformula estas frases usando los adjetivos de las etiquetas.

ininteligible   insalvable   inaccesible   inasequible   inviable   irreprochable   ineludible   inaudible

1. Es imposible llegar a ese lugar. ❯ Es un lugar → *inaccesible*

2. Ese sonido tan agudo yo no lo percibo. ❯ Para mí, es un sonido ....

3. No entiendo tu letra. ❯ Tu letra es ....

4. No puedo perderme la boda de mi hermana. ❯ Es una cita ....

5. Es un precio excesivo que no puedo pagar. ❯ ....

6. No podemos ir por esa carretera, hay un obstáculo que no se puede superar. ❯ ....

7. Su comportamiento no se puede criticar. ❯ ....

8. Esta propuesta no puede llevarse a cabo. ❯ ....

C.7 Completa con información sobre ti.

- Tus citas **ineludibles** para este año:

  → *el Primavera Sound*

- Un producto **inasequible** para ti que quisieras tener:

  ....

- Un lujo **asequible** para ti:

  ....

- Un comportamiento que te parece **reprochable**:

  ....

- Algo que te gustaría hacer, pero que te parece **inviable**:

  ....

- Un/a artista con un talento **incuestionable**:

  ....

- Una persona **impresentable**:

  ....

TRABAJAR LA GRAMÁTICA

ESTRUCTURA GRAMATICAL

C.8 **Transforma estas frases a un registro más moderado corrigiendo las omisiones, imprecisiones o incorrecciones propias del registro oral coloquial.**

1. "Pero, claro, con la entrada de las redes sociales, es lo que ha dado la democratización de esa influencia."

....

2. "En Greenpeace también estamos aquí contando con *influencers*, pero tenemos muy en cuenta que sean personas que están realmente con nosotros. O sea, no simplemente los números, si no que también haya ahí algo de causa, de estar cerca, porque realmente crees en la campaña."

....

....

3. "[El concepto de *influencer*] realmente, a ver, masivamente no existe de siempre porque no estaban las herramientas ni la tecnología."

....

....

ORACIONES TEMPORALES

C.9 Completa estas frases conjugando el verbo entre paréntesis en el tiempo y modo correctos. Si hay varias posibilidades, escríbelas.

1. Si limpiaras **a medida que** (usar) .... los cacharros, la cocina no quedaría hecha un desastre.

2. ¿Pagamos **según** (pedir) .... o pagamos a escote después?

3. Creo que iré sacando la bebida **conforme** la gente (llegar) ...., así no se calienta.

4. En las noticias han dicho que **a medida que** (recibir) .... más datos, irán informando sobre el terremoto. De momento, no se sabe nada más.

5. Me gustó mucho lo de las fotos en la boda de Miriam. **Conforme** los invitados (sacar) .... fotos, se iban proyectando en una pantalla gigante. Fue muy divertido.

6. Mi hija se parecía mucho a mí, pero **según** (crecer) ...., se parece más a su padre.

ACTUAR

TU *INFLUENCER*

C.10 ¿Sigues a alguien en las redes? ¿A quién? ¿Por qué? ¿Qué te gusta de él/ella? Escríbelo.

D UNA PAUSA PARA LA PUBLICIDAD

PREPARAR EL DOCUMENTO

LA PUBLICIDAD

D.1 Aquí tienes una serie de afirmaciones sobre la publicidad. ¿Estás de acuerdo con ellas? Si no, matízalas o expresa tu opinión al respecto.

1. Toda empresa necesita publicidad.

   ....

2. La publicidad intenta crear una necesidad falsa en el espectador para que compre cosas que no necesita.

   ....

3. La publicidad es fácil de evitar; basta con no ver la tele o pasar la página de un periódico.

   ....

4. La publicidad no miente, solo hace la realidad más atractiva.

   ....

5. En muchos anuncios se usa el sexo y la violencia de manera gratuita.

   ....

6. La utilización de cuerpos "perfectos" de hombres y mujeres es la causa de numerosos trastornos.

   ....

TRABAJAR EL LÉXICO

ACTUAR, RELLENAR Y COLAR

D.2 Traduce los verbos en negrita a tu lengua o a una que conozcas bien.

actuar

1. Ayer unos chicos empezaron a pelearse justo en la puerta de mi casa y llamé a la policía. Creo que **actué** correctamente, porque la cosa se estaba poniendo fea.   ⟩ ....
2. Los bomberos **actuaron** con rapidez y consiguieron extinguir el incendio en pocas horas.   ⟩ ....
3. Si te duele la cabeza, tómate estas pastillas. **Actúan** muy rápido y te sentirás mejor enseguida.   ⟩ ....
4. La obra de teatro *Art* me encantó. **Actuaba** Ricardo Darín y otros dos actores argentinos.   ⟩ ....
5. U2 **actúa** en Barcelona el verano que viene. ¿Vamos?   ⟩ ....

rellenar

1. Si os termináis el agua, **rellenad** la botella y metedla en la nevera, por favor.   ⟩ ....
2. **He rellenado** los huevos con atún, mayonesa, cebolla y pimiento rojo. Espero que te gusten.   ⟩ ....
3. Me he equivocado al **rellenar** el formulario. ¿Puede darme uno nuevo, por favor?   ⟩ ....
4. Antes de pintar la pared, deberíamos **rellenar** con yeso los agujeros que han dejado los tornillos de las estanterías.   ⟩ ....

colar

1. Mi hermano siempre **cuela** el zumo de naranja, pero yo lo prefiero con pulpa.   ⟩ ....
2. Hay gente que **cuela** comida en la maleta cuando viaja. Yo no me atrevo.   ⟩ ....
3. Mi gata **se ha colado** en el armario mientras guardaba la ropa y he cerrado la puerta sin darme cuenta. Se ha quedado encerrada más de 15 minutos, pobrecita.   ⟩ ....
4. No entiendo que la gente **se cuele** para entrar en el avión. ¿Se creen que van a llegar antes a su destino?   ⟩ ....
5. Julia **se ha colado*** por su profesor de piano. ¿Se atreverá a pedirle una cita?   ⟩ ....

EL COCHE

D.3 Lee el texto del anuncio del SEAT Altea y marca las características que evoca.

> Déjame que te cuente la historia del nuevo Altea XL: el coche más fantástico que jamás haya conducido una familia. Dicen que es grande como una ballena del Ártico y fuerte como un bisonte en estampida. Algunos incluso cuentan que, en su enorme interior, puede cobijar cientos de juguetes. Y que allí escondidos, protegidos por un ejército de airbags y todas las medidas de seguridad del mundo, duermen cada noche en sus 635 litros de maletero.

- ☐ Es un coche familiar.
- ☐ Tiene manos libres.
- ☐ Tiene cambio de marchas automático.
- ☐ Es grande.

- ☐ Es resistente.
- ☐ Es respetuoso con el medioambiente.
- ☐ Tiene mucha potencia.
- ☐ Es eléctrico.

- ☐ Es espacioso.
- ☐ Está fabricado con materiales excelentes.
- ☐ Es un coche seguro.
- ☐ Tiene mucha capacidad.

D.4 Completa estas listas con palabras relacionadas con los coches.

PARTES DEL COCHE:

PRESTACIONES:

VERBOS:

OBSERVAR EL DISCURSO

ANUNCIOS

D.5 Lee estos dos ejemplos de intertextualidad. ¿Por qué crees que usan el personaje de Blancanieves? Escríbelo.

D.6 Busca otros ejemplos de intertextualidad en publicidad relacionados con el cuento de *Blancanieves y los siete enanitos* y llévalos a clase para comentarlos con tus compañeros.

El Volvo XC 90. Con siete asientos. Lo siento.

T de tecnología

A CAMBIOS TECNOLÓGICOS

ENTRAR EN EL TEMA

LA COMUNICACIÓN EN LA ERA DIGITAL

A.1 Responde a estas preguntas.

- ¿Qué tipo de ordenador usas? ....

- ¿Para qué utilizas el móvil normalmente? ....

  ....

- ¿Tienes tableta? ¿Para qué la usas? ....

  ....

- ¿Utilizas algún otro dispositivo que no sea el móvil o la tableta? ¿Cuál y para qué lo usas? ....

A.2 Lee estos titulares y explica en pocas palabras si te parecen buenas ideas y por qué.

SPACELINER, UN AVIÓN QUE CUBRIRÁ EE.UU. Y EUROPA EN UNA HORA

Se trata de un proyecto de avión hipersónico retomado por el Instituto de Sistemas Espaciales de Alemania.

Cowarobot, la maleta que te sigue como un perrito

Esta maleta-robot, que se mueve de manera autónoma, incorpora un sistema para evitar los obstáculos e incluye un localizador GPS.

Pilot, un auricular de traducción simultánea

Conseguir un mundo sin barreras de idioma. Ese es el leitmotiv de su creador, Andrew Ochoa, que pretende cambiar la forma en que nos comunicamos.

A.3 Explica qué cambios crees que se podrían producir en estos ámbitos en un futuro próximo.

| MEDIOS DE PAGO | VEHÍCULOS | CIBERSEGURIDAD | DRONES |

B | EL VALOR DEL CONOCIMIENTO

TRABAJAR EL LÉXICO

ECONOMÍA Y TRABAJO

B.1 Escribe estos adjetivos en la columna correspondiente.

competitiva   estancada   desahogada   frágil
precaria   pujante   solvente

Tener una buena situación económica significa tener una economía...	Tener una mala situación económica significa tener una economía...

B.2 ¿Qué caracteriza cada una de estas cosas? Pon ejemplos concretos.

- el agua estancada: ....
  ....
- el aire estancado: ....
  ....
- una negociación estancada: ....
  ....
- un salario estancado: ....
  ....
- un país estancado: ....
  ....
- un proyecto estancado: ....
  ....
- un negocio estancado: ....
  ....

B.3 De las cosas anteriores, ¿cuáles podrían ser pujantes? ¿Qué sentido tienen en este caso? Escribe algunos ejemplos.

ADJETIVOS EN –NTE

B.4 Fíjate en los ejemplos y relaciona un elemento de cada columna.

- Un joven estudiante es atacado por un perro.
- Un joven estudiando es atacado por un perro.

- "No haré declaraciones", dijo la presidenta saliente del club.
- "No haré declaraciones", dijo la presidenta saliendo del club.

La terminación -nte ①

El gerundio ②

Ⓐ indican una cualidad, una característica general del sujeto

Ⓑ describe una acción que está en curso en un momento preciso.

B.5 Escribe un ejemplo de estas cosas.

- una lengua dominante: ....
  ....
- una economía floreciente: ....
  ....
- un comentario hiriente: ....
  ....
- un problema preocupante: ....
  ....
- un trato insultante: ....
  ....

TRABAJAR LA GRAMÁTICA

CONTRASTE EL/LO

B.6 Completa las frases con el o lo.

1. Para mí, mañana es .... día más interesante del congreso.

2. .... más interesante del congreso es conocer gente y relacionarse con otras personas del sector.

3. Sí, recuerdo aquellos ficheros. Yo me encargué de clasificar el contenido de .... más grande de todos.

4. Cuando vi la casa, me sorprendió .... grande que era.

5. He hablado con .... bueno de Pablo y ha entendido perfectamente la situación.

6. .... bueno de vivir aquí es que hay de todo.

7. Para que .... autobús se pare, tienes que levantar el brazo.

8. Para conseguir todo .... que te has propuesto este año, tendrás que hacer un gran esfuerzo.

9. .... mejor es que no les digas nada todavía a tus jefes; espera a estar seguro de querer cambiar de trabajo.

10. ¿Cuál ha sido .... mejor momento de tu vida?

11. María es muy modesta y no siempre deja ver .... inteligente que es.

TODO LO + ADJETIVO/ADVERBIO + QUE

B.7 Reformula estas frases usando todo lo + adjetivo/adverbio + que sin cambiar el sentido original. Haz las modificaciones necesarias.

1. La soja no es tan sana como dicen. ....

2. La ceremonia fue muy emotiva. Tanto como cabía esperar. ....

3. Pensábamos que iba a ser un proceso más rápido, pero hemos tardado mucho en cerrar el acuerdo para la compra del piso.
....

4. Creíamos que los cambios en el equipo directivo iban a ser positivos, pero no ha sido así. ....

5. El incendio ha sido devastador, tal y como se preveía. ....

OBSERVAR EL DISCURSO

TIPOS DE TEXTO

B.8 Lee la información sobre estos dos tipos de textos. Después, lee los fragmentos e indica cuál pertenece a un texto científico y cuál a un artículo divulgativo. Marca las palabras o fragmentos en los que te basas para determinarlo.

Texto científico

- Es aquel que pertenece a la ciencia y se caracteriza por buscar principios y leyes generales que poseen validez universal.
- Se utilizan expresiones propias de la ciencia.
- Es formal.
- Pertenece a un grupo o rama del saber.

Texto divulgativo

- Quiere dar a conocer al público en general algún tema de la ciencia.
- Utiliza un lenguaje estándar.
- Se dan ejemplos y se usan sinónimos para facilitar la comprensión.
- Utiliza un léxico sencillo que los lectores sean capaces de entender.

1 Denominamos *Bluetooth* al protocolo de comunicaciones diseñado especialmente para dispositivos de bajo consumo que precisan de corto alcance de emisión y están basados en transceptores de bajo costo.
Pero, ¿de dónde viene la palabra *bluetooth*? Para conocer el origen de este término debemos remontarnos a 1994 cuando uno de los responsables del desarrollo de esta tecnología de comunicación inalámbrica, Jim Kardach, propuso el nombre de uno de los reyes vikingos, concretamente el de Harald Blåtand, cuya traducción al inglés es Harald Bluetooth.

Fuente: Sarah Romero: *"¿Cuál es el origen del término Bluetooth?", Muy interesante.*

2 Este trabajo tiene por objetivo presentar una propuesta que incorpore la tecnología multimedia para mejorar la comprensión lectora de textos de especialidad en lengua extranjera a nivel universitario, tomando como eje central la noción de género. En la primera parte del artículo se describe cómo debería ser el diseño general de una aplicación destinada a tal fin. En la segunda parte, se revisan nociones teóricas generales sobre el concepto de género. En la tercera parte se evalúa el potencial que el programa de autor Libra ofrece a la hora de diseñar un componente de enseñanza de nociones de género.

Fuente: Juan Francisco Coll: *"Aplicación de las nuevas tecnologías al análisis de rasgos genéricos textuales", Universidad Jaume I, Castellón.*

LA REVOLUCIÓN DIGITAL

ENTENDER EL DOCUMENTO

CONCEPTOS

C.1 Define estos conceptos con tus propias palabras.

- éxodo rural: ....
- tecnología lítica: ....
- cadena de producción: ....

- vida sedentaria: ....
- industrialización: ....

TRABAJAR EL LÉXICO

UNA TECNOLOGÍA DISRUPTIVA

C.2 Traduce a tu lengua los verbos en negrita teniendo en cuenta el sentido que tienen en cada frase.

1. Cogí el paraguas porque, al ver cómo estaba el cielo, **supuse** que llovería. ❯
2. **Supón** que tienes la oportunidad de viajar a cualquier país del mundo; ¿adónde irías? ❯
3. Coger el avión por la mañana **supone** pagar una noche más de hotel. ❯
4. La familia es muy importante, sí, pero, en este momento, mis amigos **suponen** más para mí. ❯
5. **Alterarán** las líneas de autobús durante las vacaciones. Infórmate bien antes de salir de casa. ❯
6. No **te alteres**. Seguro que encuentras el anillo. ❯
7. Ese negocio no **comporta** ningún riesgo. Vale la pena pensárselo. ❯
8. **Te comportas como** un niño. ¡Madura! ❯
9. Julio tiene muy malos modales. No sabe **comportarse**. ❯

C.3 Lee estas frases y reescríbelas utilizando el verbo influir en lugar de influenciar y viceversa. Hay más de una opción posible.

1. La opinión pública **influyó en** el veredicto del jurado.
2. Los sucesos ocurridos en la víspera de las elecciones **han influido en** los resultados, según analistas políticos.
3. Es inevitable que los profesores **influencien** a sus alumnos.
4. La difícil niñez del pintor **influenció** todas sus obras.
5. Lars von Trier ha reconocido en varias entrevistas que su cine está **influenciado** por Lynch, Tarkovski, Bergman o Antonioni, entre otros.

EXPRESAR CAMBIOS

C.4 Escribe los sustantivos correspondientes.

Verbo		Sustantivo
empequeñecer(se)	→	el empequeñecimiento
acercar(se)	→	
agrandar(se)	→	
alejar(se)	→	
encarecer(se)	→	
abaratar(se)	→	
empobrecer(se)	→	
enriquecer(se)	→	
popularizar(se)	→	
simplificar(se)	→	
normalizar(se)	→	la normalización
digitalizar(se)	→	

C.5 Piensa en cambios que se han producido en las últimas décadas y escribe frases con estos verbos o con el sustantivo correspondiente.

- normalizar(se): ....
  ....

- abaratar(se): ....
  ....

- encarecer(se): ....
  ....

- popularizar(se): ....
  ....

- empobrecer(se): ....
  ....

- enriquecer(se): ....
  ....

- simplificar(se): ....
  ....

- digitalizar(se): ....
  ....

C.6 ¿Cuándo usamos ponerse y cuándo volverse? Lee estas frases y, después, completa la regla.

- Para celebrar mi ascenso, Vicente y yo nos **pusimos guapos** y nos fuimos a cenar a un buen restaurante.
- En las últimas décadas, las cámaras de vídeo **se han vuelto** más manejables.
- Desde hace unos años, los móviles de pantalla grande **se han puesto** de moda.
- Gracias al abaratamiento de los precios, tener un ordenador en casa **se ha vuelto** normal.

ponerse / volverse

- Para cambios, principalmente de estado o situación, que se presentan como temporales o reversibles, usamos el verbo ....

- Para cambios, principalmente de cualidad, que se presentan como estables, cuando algo deja de ser una cosa para ser otra, usamos el verbo ....

C.7 Elige el verbo más adecuado en cada caso.

1. Desde que la han ascendido, Tatiana **se ha puesto / se ha vuelto** una persona intratable.
2. Félix **se ha puesto / se ha vuelto** como una fiera porque le he dicho que no me gustaba su camisa.
3. Los niños **se pusieron / se volvieron** tristes cuando supieron que no íbamos al circo.
4. Carlos siempre **se pone / se vuelve** muy nervioso cuando conduce.
5. Prefiero no tener un perro de esta raza. Dicen que cuando crecen **se ponen / se vuelven** violentos.

C.8 Lee la explicación sobre los verbos volverse y hacerse y marca la opción más adecuada en cada frase. En algunos casos, ambas pueden ser correctas.

volverse / hacerse

Los verbos **volverse** y **hacerse** expresan cambio, pero presentan algunas diferencias.

- Cuando el cambio se presenta como resultado de una acción deliberada, se usa **hacerse**.

  Marina se ha hecho budista.

- Cuando el cambio es una acción no deliberada, se usa **volverse**.

  Lo han estafado varias veces y se ha vuelto muy desconfiado.

- Hay ocasiones en las que ambos verbos son posibles. Esto afecta principalmente a los cambios que no son desarrollados por personas. Si la planificación es deliberada o si queremos subrayar que ha sido un cambio gradual, se usa preferiblemente **hacerse**. Si no tenemos esa intención, se puede usar **volverse**.

  Esta canción se ha hecho/vuelto muy famosa.

1. Ver a la gente leyendo libros digitales en la playa o en el metro **se ha vuelto / se ha hecho** cada vez más frecuente.
2. Editar y distribuir libros **se ha vuelto / se ha hecho** más fácil y más barato gracias a las nuevas tecnologías.
3. Augusto **se volvió / se hizo** paranoico después de ver un documental sobre ciberseguridad.
4. Gracias a sus estudios universitarios, Genís Roca **se volvió / se hizo** experto en el periodo del Paleolítico inferior.
5. Escribir cartas personales en papel **se ha vuelto / se ha hecho** atípico, raro.
6. En las últimas décadas, **se ha ido volviendo / se ha ido haciendo** habitual el uso de nuevas tecnologías por las personas de más edad.
7. Juan **se ha vuelto / se ha hecho** médico.
8. Mi hermana **se ha vuelto / se ha hecho** vegetariana. Dice que consumir carne al ritmo que se está haciendo es insostenible.
9. En el instituto Elena **se volvió / se hizo** muy popular gracias a su personalidad arrolladora.
10. El *spinner* **se ha vuelto / se ha hecho** muy popular entre los jóvenes.

TRABAJAR LA GRAMÁTICA

USO DEL IMPERFECTO DE SUBJUNTIVO

C.9 Completa estas frases de manera lógica.

1. En la prehistoria, el descubrimiento del fuego facilitó ....

2. La invención de la imprenta en el siglo XV permitió ....

3. La fabricación de armas de fuego fue consecuencia de ....

4. La industrialización de Europa, en el siglo XVIII, hizo que mucha gente ....

5. La expansión de las redes eléctricas hizo posible ....

6. El abaratamiento de los ordenadores, a partir de los años ochenta, favoreció ....

7. La expansión de las comunicaciones a través de internet en las últimas décadas está relacionada con ....

8. La popularización de las redes sociales ha dado lugar a ....

ACTUAR

YA NO HAY...

C.10 Explica por qué desaparecieron estas cosas u oficios y qué es mejor o peor sin ellos.

AGUADORES

LA ENCICLOPEDIA

TELEGRAMAS

C.11 Crea una nueva ficha de otro objeto que se ha dejado de usar y que ha supuesto la desaparición de un oficio.

EXPUESTOS Y VIGILADOS

ENTENDER EL DOCUMENTO

EL PROGRAMA ECHELON

D.1 Vuelve a leer las líneas 21-32 del texto de la p. 168 del Libro del alumno y explica con tus propias palabras en qué consiste el programa Echelon.

TRABAJAR EL LÉXICO

MEDIDAS DE VIGILANCIA

D.2 Elige una colocación de cada fila y escribe una frase con ella.

vigilancia   *policial*   *domiciliaria*   *preventiva*

extremar   *burlar*   *la vigilancia*

dispositivo   *medida*   *objeto*   *patrulla*   *turno*   *de vigilancia*

vigilante   *de seguridad*   *jurado*   *privado*

1.
2.
3.
4.

QUEDA USTED FICHADO

D.3 ¿Qué significa el verbo fichar en esta frase? Marca la acepción correcta.

"La población entera se ve permanentemente **fichada** por sus tarjetas de crédito, sus carnets, sus tiques, las afiliaciones, las *cookies* del ordenador."

☐ Rellenar una ficha con los datos de alguien o algo.

☐ Registrar los datos de alguien en un fichero (habitualmente referido a los ficheros policiales).

☐ Contratar a un deportista en un equipo o club, y, por extensión, a una persona, generalmente de prestigio, para una determinada actividad.

☐ Mirar a alguien con desconfianza o recelo.

☐ Hacer que se registre la hora de entrada o de salida en el centro de trabajo en una ficha o sobre cualquier otro soporte, mediante un aparato con reloj.

OBSERVAR EL DISCURSO

LAS DOS CARAS DE LA MONEDA

D.4 Marca qué palabras y expresiones utiliza el autor para cargar de negatividad el texto. Después, coméntalo en clase.

A "Vigilar y castigar. Vigilar y transmitir información a través de múltiples redes que disgregan la identidad en partículas cada vez más vulnerables a la explotación y a la sumisión. La policía vigila las calles; los seguratas, los comercios, los bancos y los portales; los jefes vigilan a los empleados dentro mismo de internet, la población entera se ve permanentemente fichada por sus tarjetas de crédito, sus carnets, sus tiques, las afiliaciones, las *cookies* del ordenador."

B "Y, por si faltaba poco, el programa Echelon de la National Security Agency (NSA), una agencia de información creada por Estados Unidos, Reino Unido, Canadá, Australia y Nueva Zelanda, se ocupa de controlar todo el tráfico internacional vía satélite, siendo capaz de aislar determinadas palabras o frases a partir de miles de mensajes."

C "El grueso de la población, vigilada y vigilante, se halla revuelta en la promiscuidad de la visión, la obscenidad del ojo. Pero ¿esto provoca angustia? ¿Insoportable malestar? Ni mucho menos."

D.5 Una misma realidad se puede presentar de diferentes maneras. Escribe a qué se refieren estas frases.

internet *armas de fuego* *cárcel*
cámaras de videovigilancia *ejército*

1. ....
   ➕ Velan por la seguridad ciudadana.
   ➖ Controlan y vigilan.

2. ....
   ➕ Es un jardín de libertad.
   ➖ Es una prisión secreta.

3. ....
   ➕ Lucha por la paz.
   ➖ Invade y genera violencia.

4. ....
   ➕ Rehabilita y favorece la inserción social.
   ➖ Es una herramienta de castigo del sistema.

5. ....
   ➕ Os protegen a ti y a los tuyos.
   ➖ Acaba con muchas vidas.

D.6 Escribe una visión positiva y otra negativa para cada una de estas cosas.

1. Hospital
   ➕ ....
   ➖ ....

2. Hijos
   ➕ ....
   ➖ ....

3. Dinero
   ➕ ....
   ➖ ....

4. Fama
   ➕ ....
   ➖ ....

5. Trabajo
   ➕ ....
   ➖ ....

Preparación al

DELE C1

MODELO de EXAMEN

HOJAS de RESPUESTAS

PRUEBA 1
Comprensión de lectura y uso de la lengua

Características de la prueba	Información útil
• La prueba de Comprensión de lectura y uso de la lengua tiene cinco tareas.	• Lee cada texto independientemente.
• Debes responder 40 preguntas o ítems.	• Lee con atención cada texto.
• La duración es de 90 minutos.	• Las instrucciones son muy importantes. Es esencial entenderlas antes de empezar a leer el texto.
• Cuenta un 25 % de la calificación total del examen.	
• Debes contestar en el Cuadernillo de respuestas marcando las respuestas correctas.	• Si hay palabras que no entiendes, intenta comprenderlas por el contexto o ver si se parecen a otras palabras que ya conoces.

TAREA 1

Tipos de texto

• Instrucciones, contratos (de alquiler, de trabajo, de uso de un producto), prospectos, cláusulas, informes profesionales.

Extensión de los textos

• Entre 650 y 750 palabras.

Qué tengo que hacer

• Comprender la idea general y algunos datos específicos en textos del ámbito público y profesional.

Número de ítems

• Seis preguntas de selección múltiple con tres opciones de respuesta cada una.

Nuestros consejos

• Ten cuidado con el vocabulario que puede te confundir. La palabra "cancelar" en Chile tiene más de un significado. En este contrato de arrendamiento, en la frase "el cual será cobrado y pagado en la Administración del Condominio teniendo la obligación el arrendatario de informar al arrendador la fecha con que fue cancelado y enviar el comprobante de este al *email*..." significa "pagar". Aunque en un principio pueda ser confuso, el contexto te puede ayudar a entender que no puede significar otra cosa: ten en cuenta siempre el contexto.

• En muchas ocasiones las opciones mezclan ideas que aparecen en el texto con ideas que suenan coherentes pero que el texto no menciona. Céntrate en aquello que sí afirma el texto y sospecha de la información que te parece muy lógica pero que no aparece en el texto.

INSTRUCCIONES

A continuación leerá un fragmento de un contrato de arrendamiento. Conteste a las preguntas (1 - 6). Seleccione la opción correcta (a/b/c).
Marque las opciones elegidas en la Hoja de respuestas.

CONTRATO DE ARRENDAMIENTO

En Santiago de Chile a 24 de abril del 2017 comparecen como arrendador don Juan Muñoz Morales y como arrendataria doña Carmen López Martínez, dueña de la propiedad ubicada en la Avenida El Rosal nº 12 de la ciudad de Santiago de Chile. Vienen en celebrar el siguiente contrato de arrendamiento:

1 OBJETO DEL CONTRATO.

A través del presente contrato de arrendamiento, el arrendador, don Juan Muñoz Morales, da en arrendamiento el inmueble, descrito e identificado. La propiedad arrendada será destinada a la habitación del arrendatario, de su familia y dependientes domésticos, lo que no exceda de cuatro personas en total.

2 PLAZO.

El presente contrato de arrendamiento rige a partir de la fecha de celebración del presente, en la que se hace entrega material al arrendatario de la vivienda y de las llaves de acceso a la misma, y su vigencia será de un año a contar desde esta fecha. Este plazo se renovará en forma tácita y sucesivamente en las mismas condiciones aquí pactadas, si ninguna de las partes manifiesta a la otra su voluntad de poner término al arrendamiento a través de un aviso.

3 RENTA.

La renta mensual de arrendamiento será la suma 900 $. A esta cantidad hay que agregar como costo adicional el gasto común mensual, el cual será cobrado y pagado en la Administración del Condominio, teniendo la obligación el arrendatario de informar al arrendador la fecha con que fue cancelado y enviar el comprobante de este al *email* del administrador por este arrendador y que se pagará por anticipado dentro de los primeros cinco días de cada mes.

4 REAJUSTE.

La renta se reajustará durante toda la vigencia del arrendamiento. Este reajuste se hará cada tres meses, en la misma proporción o porcentaje en que haya podido variar el Índice de Precios al Consumidor (IPC) determinado por el Instituto Nacional de Estadística.

5 MES DE GARANTÍA.

El arrendatario entrega en este acto la cantidad correspondiente a un mes de renta ($ 900) con el fin de garantizar la conservación de la propiedad y su restitución en el mismo estado en que la recibe; la devolución y conservación de las especies y artefactos que se indicarán en el inventario; el pago de los perjuicios y deterioros que se causen en la propiedad arrendada, sus servicios e instalaciones.

6 PROHIBICIONES AL ARRENDATARIO.

Queda expresamente prohibido al arrendatario:

a. Ceder, subarrendar, transferir a cualquier título y destinar el inmueble arrendado a un objeto diferente al convenido en la cláusula 1ª del presente contrato de arrendamiento.

b. No mantener la propiedad arrendada en buen estado de conservación.

c. Atrasarse en el pago de las cuentas de luz, agua, gas y gastos comunes.

d. Ejecutar obra alguna en la propiedad, sin previa autorización escrita del arrendador.

e. Clavar o agujerear paredes, introducir animales, materiales explosivos, inflamables o de mal olor en la propiedad arrendada.

Para constancia firman:

_____   _____   _____
ARRENDADOR   ARRENDATARIO   CODEUDOR SOLIDARIO

7 MANTENCIÓN DEL INMUEBLE.

a. De parte del arrendador: el arrendador está obligado a realizar todas las reparaciones necesarias en el inmueble, que ocurran o hubiesen acaecido por el tiempo o por causa inevitable, o fuerza mayor, a fin de que el inmueble esté en óptimas condiciones para ser habitado al momento de ser arrendado, sin tener derecho a elevar la renta por ello.

b. De parte del arrendatario: se obliga a mantener en buen estado el aseo y conservación de la propiedad arrendada y todas las instalaciones del departamento, como asimismo a arreglar por su cuenta deterioros que haya producido por su acción. Del mismo modo se obliga al arrendatario a responder de los deterioros que en los bienes comunes o propiedades vecinas puedan causar el personal que trabaje bajo su dependencia y las personas que concurran el inmueble arrendado por cualquier motivo.

8 RESTITUCIÓN DEL INMUEBLE.

El arrendatario debe devolver la vivienda, al concluir el arriendo, tal como la recibió, entrega que deberá hacer mediante la desocupación total de la propiedad, poniéndola a disposición del arrendador y entregándole las llaves y todas sus copias.

La no restitución de la propiedad en la época señalada, hará incurrir al arrendatario en una multa mensual equivalente al 50 % de la renta pactada en este contrato de arrendamiento, suma en que las partes evalúan anticipadamente y de común acuerdo los perjuicios.

Fuente: Adaptado de www.derecho-chile.cl

PREGUNTAS

1 El contrato indica que...

a tendrá un año de vigencia desde la fecha que decidan.

b no podrá interrumpirse por cualquiera de las dos partes.

c el arrendatario podrá habitar el inmueble a partir de la firma del contrato.

2 En cuanto a la renta...

a el arrendatario adelantará los gastos comunitarios el quinto día de cada mes.

b el arrendatario y el arrendador pactarán la fecha de pago de las facturas.

c revisará trimestralmente según el IPC.

3 Un mes de garantía implicará que...

a el inquilino deberá pagar lo que estropee.

b el arrendador pagará los desperfectos si después se los devuelve el arrendatario.

c el arrendatario podrá conservar lo que acuerde con el propietario.

4 De acuerdo con las prohibiciones...

a el arrendatario podrá subarrendar la vivienda a uno de sus hijos.

b si el inquilino avisa previamente, el casero permitirá pagos fuera de plazo.

c el inquilino podrá realizar obras.

5 En el texto se dice que...

a el casero se reservará el derecho de subir el alquiler al realizar reparaciones.

b el inquilino deberá reparar los desperfectos originados por sus visitas.

c la comunidad del edificio arreglará los daños ocasionados por los vecinos.

6 En relación con la restitución del inmueble,

a el inquilino podrá llevarse sus pertenencias mientras usa temporalmente parte del inmueble.

b el arrendador podrá multar al arrendatario en caso de no dejar la vivienda a tiempo.

c las dos partes podrán acordar la restitución del domicilio en otra fecha diferente.

TAREA 2

Tipos de texto

- Textos literarios en los que se describen o narran experiencias, planes o proyectos que tratan sobre el ámbito público, profesional o académico (cuadernos de viaje, blogs, artículos de revistas, periódicos, obras de teatro, cuentos, etc.).

Extensión de los textos

- Entre 550 y 650 palabras cada uno.

Qué tengo que hacer

- Reconstruir la estructura y captar la relación entre las ideas de textos extensos.

Número de ítems

- Seis párrafos de un texto que se deben completar con seis fragmentos (de siete propuestas).

Nuestros consejos

- Recuerda que hay un fragmento que no encaja en ningún hueco.
- Empieza relacionando los fragmentos que te resulten más sencillos y deja los más complicados para el final.

INSTRUCCIONES

Lea el siguiente texto, del que se han extraído seis párrafos. A continuación lea los siete fragmentos propuestos (A - G) y decida en qué lugar del texto (7 - 12) hay que colocar cada uno de ellos.

HAY UN FRAGMENTO QUE NO TIENE QUE ELEGIR.

Marque las opciones elegidas en la Hoja de respuestas.

SIGNOR HOFFMAN

Desde el tren se miraba el azul infinito del mar. Yo seguía agotado, desvelado por el vuelo nocturno y transatlántico hasta Roma, pero solo contemplar el mar, ese mar Mediterráneo tan infinito y azul, me hacía olvidarlo todo, aun olvidarme de mí mismo. No sé por qué. No me gusta ir al mar, ni nadar entre las olas, ni caminar en la playa, ni mucho menos salir en barco. Me gusta el mar como imagen. Como idea. Como pensamiento. Como parábola de algo misterioso y a la vez evidente; de algo que al mismo tiempo promete salvarnos y amenaza matarnos. **7** _____.

El viejo tren estaba recorriendo despacio toda la costa del Mediterráneo, por Nápoles, por aldeas cada vez más pequeñas y pobres, hasta finalmente entrar en Calabria. **8** _____. El vagón iba casi vacío. Una anciana hojeaba revistas de moda. Un militar o policía dormitaba en el fondo. En la fila delante de mí, una pareja de adolescentes, acaso novios, estaba coqueteándose y besándose y discutiendo recio en italiano. **9** _____. Pero el chico solo se la besaba en silencio, y ambos entonces se volvían a derretir en risas y cariños. Tardé un poco en comprender que esa misma noche harían una gran fiesta con todos sus amigos, ya que la chica había decidido operársela al día siguiente. Una fiesta de despedida para su nariz, comprendí en italiano. Los besos del chico eran besos de despedida.

Me bajé del tren en la estación de Paola, pequeña ciudad turística frente al mar. Estaba de pie en el andén, terminando de abrigarme en el frío invernal, e intentando decidir qué hacer, en qué dirección caminar, cuando sentí que alguien me agarró el brazo desde atrás. Signor Halfon. **10** _____. Yo soy Fausto, dijo. Benvenuto in Calabria, y me estrechó la mano. ¿Qué tal el viaje? Su español me pareció correcto, aunque demasiado cantado. Todo él me pareció un actor de ópera bufa. Tendría, pensé, más o menos mi edad. Le dije que el viaje bien, pero largo. Me alegro, dijo rascándose la barba. Yo estaba tratando de recordar su nombre o su rostro, en vano. **11** _____. Tengo la máquina estacionada aquí en la estrada, dijo. Para llevarlo a usted ahora mismo, Signor Halfon, al campo de concentración.

La máquina de Fausto era un viejo Fiat rojizo que apenas cumplía con las mínimas normas de tráfico. Había que mantener el maletero cerrado con una cuerda. **12** _____. No entendí si por un fallo de las luces o del sistema eléctrico en sí, cada vez que Fausto quería cruzar tenía que pedir vía sacando su brazo izquierdo por la ventana, una ventana que estaba trabada a medias: ya no abría por completo, ni cerraba por completo.

Fuente: Adaptado de Signor Hoffman, de Eduardo Halfon. Guatemala

FRAGMENTOS

A Ella se erguía un poco en su asiento y se ponía de perfil y le pedía a él que por favor contemplara su nariz (yo no podía vérsela desde atrás; me la imaginé aguileña y larga, pálida y bella).

B Le sonreí desconcertado, viendo su melena rubia, su barba greñuda, su mirada de loco, pero de loco benévolo, de loco que se acaba de escapar de algún circo y a nadie le importa.

C Ese extremo sureño de la península italiana. Esa región tan bucólica y montañosa y aún dominada por una de las mafias más poderosas del país, la 'Ndrangheta.

D El mar, en fin, como una vecina desnuda y relumbrante en su ventana nocturna: desde lejos.

E Mi cinturón de seguridad estaba roto. No había espejo retrovisor (quizás hubo, alguna vez, pues ahí seguía su huella de goma). Los frenos olían permanentemente a quemado.

F Y encima de todo, como emblema o logotipo de todo en el rótulo amarillo, una linda espiral de alambre de púas.

G De pronto tomó mi maleta sin preguntarme. Bene, dijo. Andiamo subito, dijo, que ya es tarde, arrastrando mi pequeña maleta, guiándome del codo hacia delante como si yo fuera un ciego.

TAREA 3

Tipos de texto

- Textos especializados, de extensión larga del ámbito académico o profesional: trabajos académicos (ensayos, monografías...), artículos de opinión, reportajes de periódicos o de revistas especializadas.

Extensión de los textos

- Entre 550 y 650 palabras.

Qué tengo que hacer

- Identificar el contenido y la intención o punto de vista en noticias, artículos e informes, que tratan de temas profesionales y académicos, captando actitudes y opiniones implícitas y explícitas.

Número de ítems

- Seis preguntas de selección múltiple con tres opciones de respuesta.

Nuestros consejos

- Lee con atención las instrucciones.
- Lee detenidamente el texto. Subraya las palabras que no conoces e intenta deducir su significado por el contexto.
- Las preguntas suelen seguir el orden lineal en el que se presenta la información en el texto.
- Analiza con cuidado las tres posibles respuestas. Si tienes dudas, descarta primero las respuestas que no son posibles.
- Si alguna de las preguntas te parece complicada, déjala para más tarde y céntrate en las más sencillas.

INSTRUCCIONES

Lea el texto y responda a las preguntas (13 - 18). Seleccione la opción correcta (a/b/c).

Marque las opciones elegidas en la Hoja de respuestas.

VIVIR CON LO JUSTO Y SER FELIZ

Todo el mundo sabe qué es el minimalismo aplicado al arte, por ejemplo. Pero quizás no tantos sepan qué es el minimalismo como estilo de vida, aunque el nombre ya dé muchas pistas. Efectivamente, se trata de vivir con menos, pero no por el puro placer de poseer menos, sino como una manera de focalizarse en aquello realmente importante y buscar las fuentes de la felicidad y del bienestar. Tampoco es solo un planteamiento anticonsumista más, aunque cuestiones como el consumo responsable y sostenible están muy presentes.

Su origen hay que buscarlo en los principios de la psicología positiva, que elaboró el psicólogo estadounidense Martin Seligman a finales de los años noventa. La psicología positiva establece que el bienestar reside en cinco aspectos. El primero son las emociones positivas, saber disfrutar de los pequeños placeres de la vida. Después vendrían las actividades mediante las que nos sentimos realizados, como las aficiones e incluso el propio trabajo. En tercer lugar, se trata de ejecutar acciones que doten a nuestra vida de sentido, sentir que contribuimos de alguna manera al bien común. El cuarto aspecto a tener en cuenta: mantener relaciones positivas, entender que la felicidad depende en gran medida de las relaciones personales y que estas tienen que ser *in vivo* para huir del mundo virtual. Plantearse y conseguir objetivos y no basar nuestra vida solo en cosas materiales sería la última contribución que podemos hacer a nuestra felicidad.

El minimalismo se convierte así en un manual para llevar a la práctica estos cinco principios. Aquel que es feliz necesita pocas cosas más y tener menos, hacer más para ser más, podrían ser los dos lemas del minimalismo.

Los primeros minimalistas eran personas que presumían de vivir con menos de cien cosas. Ahora la idea ha evolucionado: según Valentina Thörner, que se autodefine como experta en minimalismo, no se trata de reducir a la nada lo que tenemos ni de tirar por tirar, ya que eso "solo suele ser una excusa para comprar cosas nuevas". "Cuando decides vivir con menos, te vuelves más exigente, buscas primar la calidad de lo que compras y te ves buscando mucha información, lo que también puede resultar muy estresante", explica la experta.

Vivir cuantas más experiencias mejor es la alternativa que ofrece el minimalismo a la acumulación material. Según la psicóloga y *coach* Montserrat Ribot, se fijan en este estilo de vida aquellas personas que "toman conciencia de su propia insatisfacción, que quieren hacer un cambio en su vida y pasan de invertir en cosas a invertir en vivir experiencias y en las relaciones personales". Además —según los minimalistas— tener muchas cosas resulta estresante: hay más cosas que limpiar, ordenar, mantener y reparar. En consecuencia, el consumismo al que, en su opinión, nos aboca principalmente la publicidad es también medioambientalmente insostenible.

Valentina Thörner cree que las experiencias, a diferencia de los objetos, son historias enriquecedoras que contribuyen al crecimiento personal y que siempre dejan un recuerdo. "Seguramente, nunca recordarás el día que te compraste unos pantalones, pero sí un día en el campo con tu familia", dice Thörner. Y es que, como dice la propia Ribot, a menudo compramos "solo porque hacerlo nos genera emociones positivas". El minimalismo trata de buscar esas emociones en otros lugares vitalmente más significativos.

Los minimalistas poseen solo aquello que necesitan para vivir, aquello imprescindible para el día a día y procuran tener una actitud de desapego hacia todo lo material, incluso aquellas cosas con las que pueden llegar a tener un vínculo sentimental y, sobre todo, rehúyen la identificación entre posesiones materiales y estatus. Por ejemplo: poca ropa y dos pares de zapatos y en colores que permitan combinaciones adecuadas para cualquier ocasión. Más: son grandes defensores de todos los soportes digitales para libros, música y películas.

Fuente: Adaptado de *www.lavanguardia.com* (España)

PREGUNTAS

13 En el texto se afirma que el minimalismo sirve para...

a vivir con lo justo.

b tomar conciencia de lo esencial en nuestra vida.

c deshacernos de objetos que no necesitamos.

14 Según los principios de la psicología positiva...

a tenemos que darnos cuenta de cuáles son nuestras aficiones.

b es importante cultivar las amistades.

c mejorar la sociedad nos enriquece como personas.

15 Valentina Thörner asegura que mediante el minimalismo...

a antepones calidad a cantidad.

b hacemos limpieza cada cierto tiempo.

c no requiere de grandes esfuerzos.

16 Para la psicóloga Montserrat Ribot, las personas que adoptan el minimalismo...

a se inclinan por vivencias en vez de por bienes materiales.

b se sienten satisfechos con la vida que llevan.

c consumirán para experimentar las emociones positivas que anhelan.

17 El autor del texto sostiene que...

a los anuncios nos generan la necesidad de comprar y gastar.

b las experiencias personales se desvanecen de nuestros recuerdos con facilidad.

c el consumismo ayuda a paliar los problemas medioambientales.

18 Los adeptos al minimalismo,

a se alejan de lo digital y de lo físico.

b intentan desarrollar una desafección por lo tangible.

c consideran que condición social debe ir de la mano de sus posesiones.

TAREA 4

Tipos de texto

- Reseñas o resúmenes de ponencias, tesis o artículos de investigación, fichas bibliográficas, etc.

Extensión de los textos

- Entre 100 y 150 palabras cada uno.

Qué tengo que hacer

- Localizar información específica y relevante en textos breves que traten de aspectos relacionados con el ámbito académico.

Número de ítems

- ocho preguntas de selección múltiple con seis opciones de respuesta.

Nuestros consejos

- Lee con atención las instrucciones.
- Ten en cuenta que hay textos que deben ser elegidos más de una vez.
- En muchas ocasiones las preguntas se formulan con sinónimos de palabras que aparecen en los textos. Trata de identificarlos y te será más fácil elegir la opción correcta. Por ejemplo, "cronista dedicado al periodismo bélico" por "corresponsal de guerra". Además, las preguntas suelen hacer referencia a una o varias de las ideas de los textos pero expresadas de otra manera. Por ejemplo, "sin alarde estilístico" se refiere a "por su alejamiento de lo pretencioso".

INSTRUCCIONES

A continuación tiene seis textos (A - F) y ocho enunciados (19 - 26). Léalos y elija el texto que corresponde a cada enunciado.

RECUERDE QUE HAY TEXTOS QUE DEBEN SER ELEGIDOS MÁS DE UNA VEZ.

Marque las opciones elegidas en la Hoja de respuestas.

RESEÑAS BIBLIOGRÁFICAS

A Tras triunfar en los cabarets de media Europa, el bailarín flamenco Juan Martínez, y su compañera, Sole, fueron sorprendidos en Rusia por los acontecimientos revolucionarios de febrero de 1917. Sin poder salir del país, en San Petersburgo, Moscú y Kiev sufrieron los rigores provocados por la Revolución de Octubre y la sangrienta guerra civil que le siguió. El gran periodista sevillano Manuel Chaves Nogales conoció a Martínez en París y, asombrado por las peripecias que éste le contó, decidió recogerlas en un libro. *El maestro Juan Martínez que estaba allí* conserva la intensidad, riqueza y humanidad que debía tener el relato que tanto fascinó a Chaves. Se trata de una novela que relata los avatares a los que se ven sometidos sus protagonistas y cómo se las ingeniaron para sobrevivir. Por sus páginas desfilan artistas de la farándula, duques rusos, espías alemanes, chequistas asesinos y especuladores de distinta calaña.

B En la ciudad boliviana de Cochabamba una clase de muchachos inicia su último curso en el Don Bosco, un colegio privado y católico al que asisten hijos de familias acomodadas. Las borracheras, los primeros escarceos con las drogas y el sexo y las continuas faltas de disciplina son los ritos con que los alumnos intentan afirmar su individualidad y liquidar su adolescencia. Al fondo aparece la realidad boliviana de los ochenta: huelgas, inestabilidad política, racismo, desigualdades sociales. Cuando la muerte de una persona cercana sorprende a Roby, el narrador de la novela, las certidumbres en las que hasta entonces se apoyaba se tornan irreales; en su intento por resolver el enigma de la muerte, Roby buscará su camino hacia la madurez. Crónica sentimental de toda una generación, *Río Fugitivo* confirmó a Edmundo Paz Soldán como uno de los valores más sólidos de la reciente literatura latinoamericana.

C *Canción de Rachel* cuenta la azarosa existencia de una *vedette* durante los años veinte cubanos. La voz de Rachel, su protagonista —actriz y bailarina, una rompecorazones cuyas piernas hicieron temblar a media Habana—, nos acompañará en un recorrido a través de todos los escenarios de su memoria, desde los cochambrosos teatrillos, *cabarets* y circos en los que debutó hasta el mítico teatro Alhambra en el que triunfaría. Junto a su voz, irán surgiendo otras: las de los periodistas, amigos y enemigos que la matizan, aclarando los puntos más oscuros de su trayectoria. Sobre el telón de fondo de acontecimientos políticos de la época —el gobierno de Estrada Palma, la dictadura de Machado, las injerencias norteamericanas o la insurrección negra de 1912—, esas voces compondrán un verdadero retablo de costumbres de la *belle époque* cubana.

D En octubre de 1915 Agustí Calvet «Gaziel», un aprendiz de filósofo que se había convertido por casualidad en corresponsal de guerra, emprendió un viaje desde París que culminaría en la ciudad serbia de Monastir. Su propósito era escribir un reportaje sobre la situación bélica en el sur de Europa. Grecia era por entonces uno de los epicentros del conflicto, pero su reacción ante las recién estrenadas hostilidades entre sus dos vecinos, Bulgaria y Serbia, podría condicionar el desarrollo de la guerra decisivamente. Gaziel alargó el viaje hasta Serbia y allí contempló el espectáculo dantesco de los refugiados. Gaziel reunió y pulió algo más de la mitad de sus colaboraciones bélicas con *La Vanguardia* y las publicó en varios libros. De todos ellos el más impactante y logrado, seguramente, es *De París a Monastir*. Publicado por primera vez en 1917, considerado como un libro fundamental del periodismo español del siglo xx.

E Lucas Pereyra, un escritor recién entrado en la cuarentena, viaja de Buenos Aires a Montevideo para recoger un dinero que le han mandado desde el extranjero y que no puede recibir en su país debido a las restricciones cambiarias. Casado y con un hijo, no atraviesa su mejor momento, pero la perspectiva de pasar un día en otro país en compañía de una joven amiga es suficiente para animarle un poco. Una vez en Uruguay, las cosas no terminan de salir tal como las había planeado, así que a Lucas no le quedará más remedio que afrontar la realidad. Narrada con una brillante voz en primera persona, *La uruguaya* es una divertida novela sobre una crisis conyugal que nos habla también de cómo debemos enfrentarnos a las promesas que nos hacemos y que no cumplimos, a las diferencias entre aquello que somos y aquello que nos gustaría ser.

F En 1969, la pintora Emma Reyes envió a un amigo historiador, Germán Arciniegas, la primera de las veintitrés cartas en las que le revelaba las duras circunstancias en las que había transcurrido su infancia. Su amigo quedó conmocionado por los dolorosos recuerdos de la artista y decidió mostrarle los textos a Gabriel García Márquez, quien animó a Reyes a seguir escribiendo. Con una escritura que brilla por su honestidad y por su alejamiento de lo pretencioso, Reyes describe las adversidades que vivió durante su infancia en Colombia, cuando fue abandonada junto a su hermana en un convento. Relata sin autocompasión, con inteligencia de adulta pero con ojos de niña, y logra transmitir al lector con exactitud aquello que sintió. Publicado en Colombia en 2012, *Memoria por correspondencia* se convirtió en uno de los libros del año en ese país, y desde entonces sigue emocionando a cuantos lo leen.

Fuente: Adaptado de *www.librosdelasteroide.com*

ENUNCIADOS

19 Relata el periplo de un cronista dedicado al periodismo bélico sobre las pugnas más atroces de comienzos del siglo pasado.

A B C D E F

20 Este texto revela la desgarradora experiencia vivida por unos niños.

A B C D E F

21 El autor aborda los problemas de pareja y la necesidad de dejar de lado sus propósitos.

A B C D E F

22 En la novela el lector conoce a un personaje femenino contradictorio.

A B C D E F

23 El narrador alude a la duda existencial que experimenta un joven de clase pudiente.

A B C D E F

24 La novela invita a reflexionar sobre el autoengaño.

A B C D E F

25 Sin alarde estilístico, destaca por expresarse de forma sincera y directa.

A B C D E F

26 El autor ofrece una historia conmovedora con personajes de diversos perfiles.

A B C D E F

TAREA 5

Tipos de texto

- Textos largos y complejos que tratan de temas especializados de los ámbito profesional y académico, extraídos de revistas, libros de texto y periódicos especializados.

Extensión de los textos

- Entre 375 y 425 palabras.

Qué tengo que hacer

- Localizar información específica y relevante en textos breves que traten de aspectos relacionados con el ámbito académico.

Número de ítems

- Completar 14 huecos seleccionando una de las tres opciones de respuesta.

Nuestros consejos

- Lee las instrucciones atentamente.

INSTRUCCIONES

Lea el texto y rellene los huecos (27 - 40) con la opción correcta (a/b/c).

Marque las opciones elegidas en la Hoja de respuestas.

MENOS HAMBRE, PERO MÁS GORDURA

Durante las últimas décadas el hambre en América Latina ha disminuido, mientras que la obesidad y el sobrepeso van en aumento .... 27 .... la mala alimentación. Esta es la conclusión del más reciente informe de la Organización Panamericana de la Salud (OPS).

Los últimos datos muestran que la región ha logrado disminuir el hambre considerablemente y solo el 5,5 % de la población vive desnutrida, siendo el Caribe la subregión con la mayor prevalencia, ... 28 .... gran parte porque más de la mitad de la población de Haití, el país más pobre del hemisferio occidental según el Banco Mundial, vive en la pobreza. Por otra parte, la desnutrición crónica infantil en la región también .... 29 .... una evolución positiva, ya que ha caído del 24,5 % en 1990 al 11,3 % en 2015. .... 30 ...., todavía existen 6,1 millones de niños que padecen desnutrición crónica en América Latina.

La región ha venido enfrentando otra carga: el sobrepeso. De acuerdo .... 31 .... el informe, casi un 60% de la población de la región muestra sobrepeso, siendo las poblaciones de Bahamas, México y Chile donde .... 32 .... los más "rechonchos", mientras que Haití, Nicaragua y Paraguay son los países .... 33 .... menos del 50 % de su población es obesa.

.... 34 .... los factores determinantes, están los cambios de patrones en la alimentación, el crecimiento económico y el aumento de los ingresos medios de las personas. .... 35 ...., la integración de la región en los mercados internacionales ha reducido el consumo de preparados tradicionales basados en cereales, pescado, frutas y verduras, y .... 36 ...., ha aumentado el consumo de alimentos procesados.

Según la OPS, para combatir tanto la malnutrición como la obesidad requiere primeramente una alimentación saludable. .... 37 .... es necesario promover sistemas alimentarios sostenibles que vinculen agricultura, alimentación, nutrición y salud. Para .... 38 .... toda forma de malnutrición, los gobiernos latinoamericanos deberían fomentar la producción sostenible de alimentos frescos y nutritivos, asegurando que exista suficiente diversidad y acceso a ellos para los sectores más vulnerables de la población. Estas medidas deben ser complementadas .... 39 .... políticas para fortalecer la agricultura local, implementar circuitos cortos de producción y comercialización de alimentos, y sistemas públicos de compra de alimentos, ligados a programas de alimentación escolar y educación alimentaria. Mientras tanto, ... 40 .... deben llevar a cabo medidas que desincentiven el consumo de comida chatarra, mejorar las advertencias nutricionales en las etiquetas, y regular la publicidad de alimentos poco nutricionales para reducir su consumo.

OPCIONES

27
a en caso de
b debido a
c por medio de

28
a en
b por
c de

29
a ha demostrado
b ha presentado
c ha representado

30
a Mejor dicho
b A fin de cuentas
c Dicho esto

31
a para
b a
c con

32
a prevalecen
b escasean
c faltan

33
a en los cuales
b a los que
c de quienes

34
a Según
b Entre
c Ante

35
a Asimismo
b Por consiguiente
c Más bien

36
a a propósito
b resumiendo
c por el contrario

37
a De ahí que
b Esto es
c Por tanto

38
a erradicar
b esconder
c exterminar

39
a para
b desde
c con

40
a la
b le
c se

PRUEBA 2
Comprensión auditiva y uso de la lengua

Características de la prueba

- La prueba de Comprensión auditiva y uso de la lengua tiene cuatro tareas.
- Debes responder a 30 preguntas.
- La duración es de 50 minutos.
- Cuenta un 25 % de la calificación total del examen.
- Debes contestar en el Cuadernillo de respuestas marcando las respuestas correctas.

Información útil

- Cada texto se escucha dos veces.
- Antes de escuchar la primera vez, tienes unos segundos para leer las preguntas. Hay pausas también después de las audiciones para que puedas escribir las respuestas.
- Sigue este orden en las tareas; es el orden del examen.
- Revisa bien todas las preguntas, instrucciones y respuestas, ya que cada tarea tiene actividades diferentes.
- Algunos textos orales están grabados en un estudio para simular el lenguaje hablado real. Los textos orales son auténticos, adaptados cuando es necesario para que tengan una extensión adecuada.

TAREA 1

Tipos de texto

- Conferencias, discursos, presentaciones o noticias radiofónicas o televisivas de extensión media en los que se describen o narran proyectos o experiencias relacionados con el ámbito académico.

Extensión de los textos

- Entre 700 y 750 palabras.

Número de ítems

- Seis ítems a completar con 12 opciones.

Nuestros consejos

- Lee atentamente las instrucciones. Tienes un minuto antes de escuchar el audio.
- En los momentos de preparación, lee las preguntas y las posibles respuestas y señala las palabras clave.
- Durante la primera reproducción toma apuntes.
- Al escuchar la segunda vez, responde.

🔊 19 INSTRUCCIONES

Usted va a escuchar un fragmento de una conferencia en la que se tomaron las siguientes anotaciones. Luego deberá elegir para cada anotación (1 - 6) la palabra o fragmento de frase correspondiente entre las 12 opciones que aparecen debajo (a - l).

Escuchará la grabación dos veces.

Marque las opciones elegidas en la Hoja de respuestas.

AHORA DISPONE DE UN MINUTO PARA LEER LAS ANOTACIONES.

ANOTACIONES

1 La perspectiva ecofeminista propone .... con la naturaleza.

2 Explora .... de la mujer en la sociedad presente patriarcal.

3 El ecofeminismo trata de visibilizar .... de sometimiento en la actualidad.

4 La vida se sostiene mediante dos .... de dependencia: con la naturaleza y con otras personas.

5 El modelo económico occidental contradice las bases materiales de ....

6 .... ignora que el planeta no es inagotable.

OPCIONES

a el pensamiento dual	d nuevas formas de relación	g relaciones imprescindibles	j la vida humana
b el armazón cultural	e la compleja realidad	h cultura de dominación	k una profunda dependencia
c la forma de organizarnos actual	f prácticas sistemáticas	i rasgos esenciales	l un estado crítico

TAREA 2

Tipos de texto

- Conversaciones informales y transaccionales de extensión media entre dos personas (hombre/mujer), que tienen lugar cara a cara o por teléfono y en las que se realizan intercambios sobre puntos de vista, adquisiciones de bienes y servicios de todo tipo, o negociaciones de interés general sobre una amplia variedad de temas, incluidos los abstractos y complejos.

Extensión de los textos

- Entre 220 y 300 palabras cada conversación.

Qué tengo que hacer

- Reconocer detalles específicos o relevantes de exponentes y fórmulas de interacción social (sentimientos, actitudes e intenciones) en conversaciones transaccionales e informales breves.

Número de ítems

- ocho ítems de selección múltiple con tres opciones de respuesta.

Nuestros consejos

- Lee las instrucciones para contextualizar las conversaciones: qué situación es, quién habla y sobre qué.
- Lee luego las preguntas y sus posibles respuestas. Subraya palabras clave e intenta anticipar el contenido de la audición.

🔊 20–23 INSTRUCCIONES

Usted va a escuchar cuatro conversaciones. Escuchará cada conversación dos veces. Debe contestar a las preguntas (7 - 14). Seleccione la opción correcta (a/b/c).

Marque las opciones elegidas en la Hoja de respuestas.

PREGUNTAS

Conversación 1

7 La mujer está molesta porque...

a tiene que volver otro día.

b desearía continuar con su médico en su ciudad.

c ha de empadronarse en su nueva ciudad.

8 El administrativo del centro de salud...

a está inquieto por la situación de la mujer.

b no tiene intención de ayudarla.

c se muestra empático, pero se limita a cumplir las normas.

Conversación 2

9 En opinión de la mujer, en la película del martes...

a casi todos los actores consiguen meterse en sus personajes.

b el final es bastante previsible.

c la actriz principal hace un papel extraordinario.

10 Finalmente deciden ir a una comedia...

a pese a morirse de ganas de ver una película sobre trabajo.

b porque sencillamente les gusta ir al cine.

c por ser su género favorito.

Conversación 3

11 La señora González...

a se muestra dispuesta a asumir responsabilidades.

b dice que la aseguradora no se hará cargo de los desperfectos.

c informa de que la póliza contratada es a todo riesgo.

12 Ante la respuesta de la señora González, el hombre se muestra...

a indignado.

b escéptico.

c confuso.

Conversación 4

13 Ingresaron a la señora González...

a porque había salido de cuentas.

b porque la niña venía de nalgas.

c porque rompió aguas.

14 La bebé vuelve a casa más tarde de lo previsto...

a porque aún no se ha enganchado al pecho.

b para controlar su desarrollo.

c para que aumente de peso.

TAREA 3

Tipos de texto

- Entrevistas o debates de extensión larga en formato radiofónico o televisivo entre dos o tres personas, en los que se expone, describe o argumenta sobre temas del ámbito público y profesional: medios de transporte, comunicación, trabajo, política, sociedad, economía...

Extensión de los textos

- Entre 750 y 900 palabras.

Qué tengo que hacer

- Captar la idea esencial de lo que se dice, extraer información concreta y detallada e inferir posibles implicaciones en entrevistas y debates largos.

Número de ítems

- Seis ítems selección múltiple con tres opciones.

Nuestros consejos

- Lee atentamente las instrucciones. Tienes un minuto antes de escuchar la audición.
- En los momentos de preparación, lee las preguntas y las posibles respuestas y señala las palabras clave.
- Escucha la primera audición y toma apuntes.
- Al escuchar la segunda vez, responde.

🔊 24 INSTRUCCIONES

Usted va a escuchar un fragmento de una entrevista. Después debe contestar a las preguntas (15 - 20). Seleccione la opción correcta (a/b/c). Escuchará la entrevista dos veces.

Marque las opciones elegidas en la Hoja de respuestas.

AHORA DISPONE DE UN MINUTO PARA LEER LAS OPCIONES.

PREGUNTAS

15 El entrevistado señala que su universidad...

a trabaja con los avances tecnológicos más recientes.

b siempre parte de la ciencia ficción para desarrollar proyectos tecnológicos.

c pone en marcha proyectos científicos improbables.

16 El profesor dice que...

a pese a reconocerse un charlatán, destacadas corporaciones respaldan su universidad.

b numerosas compañías confían en que sus ideas se puedan hacer realidad.

c nunca se dudó de la viabilidad de sus ideas.

17 Cordeiro sostiene que...

a en el futuro no invertiremos en tratamientos antienvejecimiento.

b el ser humano podrá vivir eternamente.

c en treinta años, podremos revivir personas muertas.

18 El entrevistado explica que en los próximos años...

a nos aguarda una revolución tecnológica sin precedentes.

b experimentaremos transformaciones como las de los últimos años.

c nos alimentaremos de seres vivos hasta ahora desconocidos.

19 Según sus afirmaciones en la entrevista,

a aún no se sabe si podremos llegar a la inmortalidad.

b no necesitaremos donaciones de órganos de otras personas.

c apenas aumentaremos los años de vida de las células.

20 Cordeiro opina que...

a las células cancerígenas agonizan incluso en lugares distintos a los que nacieron.

b el cáncer muere por falta de alimentos de los que nutrirse.

c la evidencia de la inmortalidad es el deterioro de las células causantes del cáncer.

TAREA 4

Tipos de texto

- Microdiálogos contextualizados entre dos interlocutores, que tratan de temas conocidos relacionados con los ámbitos personal, público, educativo y profesional.

Extensión de los textos

- Entre 380 y 450 palabras en total.

Qué tengo que hacer

- Captar las connotaciones pragmáticas y sociolingüísticas (intención, estados de ánimo, relación entre hablantes...).

Número de ítems

- 10 ítems de selección múltiple, tres opciones de respuesta.

Nuestros consejos

- Lee las instrucciones para contextualizar las conversaciones: qué situación es, quién habla y sobre qué.
- Lee luego las preguntas y sus posibles respuestas. Subraya palabras clave e intenta anticipar el contenido de la audición.

🎧 25-34 **INSTRUCCIONES**

Usted va a escuchar 10 breves diálogos. Escuchará cada diálogo dos veces.

Debe contestar a las preguntas (21 - 30). Seleccione la opción correcta (a/b/c).
Marque las opciones elegidas en la Hoja de respuestas.

PREGUNTAS

Diálogo 1

21 El hombre dice que las clases de yoga...

a no le convencen del todo.

b se han convertido en una rutina importante para él.

c a veces no puede asistir.

Diálogo 2

22 La mujer considera que el hombre...

a se ha excedido en sus comentarios sobre su jefe.

b no está cualificado para su trabajo.

c le está dando más importancia de la cuenta.

Diálogo 3

23 Después de la universidad, Paula...

a va a intentar forjarse un futuro laboral en su país.

b pretende compaginar trabajo y aprendizaje de inglés en Reino Unido.

c piensa que lo más razonable es mejorar su inglés.

Diálogo 4

24 De la conversación se deduce que la mujer...

a se arrepiente de haber ido al cine.

b prefiere no ver películas de miedo.

c tiene los mismos gustos que el hombre.

Diálogo 5

25 De la conversación se deduce que el hombre...

a ve complicado poder jugar al baloncesto.

b es un poco patoso en ese deporte.

c va a hacer todo lo posible por poder ir.

Diálogo 6

26 La mujer se muestra...

a aliviada.

b preocupada.

c saturada.

Diálogo 7

27 Ante la firma del contrato, la mujer...

a rechaza la propuesta del hombre.

b cree que hay que atar bien todos los cabos.

c está decidida a formalizar el contrato.

Diálogo 8

28 El hombre considera que su esposa...

a es muy detallista.

b tiene buen gusto.

c estará feliz con cualquier cosa.

Diálogo 9

29 La mujer considera que...

a se trata de un problema estacional.

b es culpa de la carga de trabajo.

c le pasa algo relacionado con el alma.

Diálogo 10

30 Respecto a las llaves del coche, la mujer manifiesta que...

a cree haberlas visto en algún sitio.

b desconoce dónde pueden estar.

c le resulta inquietante la situación.

PRUEBA 3
Destrezas integradas: comprensión auditiva y expresión e interacción escritas

Características de la prueba

- La prueba de Destrezas integradas: comprensión auditiva y expresión e interacción escritas tiene dos tareas: una de interacción y una de expresión.
- La duración es de 80 minutos.
- Cuenta un 25 % de la calificación total del examen.
- Se facilita una hoja con las dos tareas de la prueba, además de la hoja de respuestas.

Información útil

- Lee bien las instrucciones.
- Fíjate en los temas de las tareas y anticípate a las ideas que podrían aparecer.
- Antes de escribir tu texto, puedes hacer un esquema con los puntos principales.
- Cuando tengas la primera versión del texto, intenta unir los párrafos con conectores.
- Relee tu texto para comprobar que incluyes todo lo que se te pide.
- Cíñete al número de palabras establecido.

TAREA 1

Tipos de texto

- Estímulo oral que consiste en una conferencia, discurso o presentación, que sirve de base para el resumen o la argumentación del texto de salida.

Extensión del texto

- Entre 220 y 250 palabras.

Qué tengo que hacer

- Redactar un texto expositivo o argumentativo exponiendo las ideas principales de manera clara, detallada y bien estructurada y respetando las convenciones y rasgos del género al que pertenezca.

 INSTRUCCIONES

Usted va a escuchar un fragmento de una presentación. Escuchará la audición dos veces y podrá tomar notas.

Después, redactará un artículo en el que deberá resumir los puntos principales de la presentación y, al final, expresar su opinión sobre el tema.

Número de palabras: entre 220 y 250 palabras.

A continuación, escuchará un fragmento de la presentación de Martín Reynoso sobre la atención plena.

Fuente: Charla de TED "Un cerebro atento es un cerebro feliz", *www.youtube.com*

TAREA 2

Tipos de texto

- Anuncios de prensa, instrucciones, breves resúmenes de artículos de opinión...

Extensión de los textos

- Entre 180 y 220 palabras.

Qué tengo que hacer

- Redactar un texto formal exponiendo los argumentos, las ideas principales, las secundarias y los detalles de manera clara, detallada y bien estructurada, y respetando las convenciones y rasgos del género al que pertenezca.
- Se le ofrecen al candidato dos opciones para elegir una, por ejemplo:
  - **Opción 1**: una reseña, un informe o un artículo de revista.
  - **Opción 2**: una carta de reclamación, de solicitud de una beca o de recomendación.

INSTRUCCIONES

Elija solo una de las dos opciones que se le ofrecen a continuación.

Número de palabras: entre 180 y 220 palabras.

OPCIÓN 1

La revista *Planeta Verde* le ha encargado escribir un artículo sobre la situación de las energías renovables en su país. Para ello, le ha pedido que analice los siguientes datos sobre Costa Rica y describa los detalles que aparecen en los gráficos. Finalmente, le piden que explore diferentes soluciones para incrementar el uso de las energías renovables en su país.

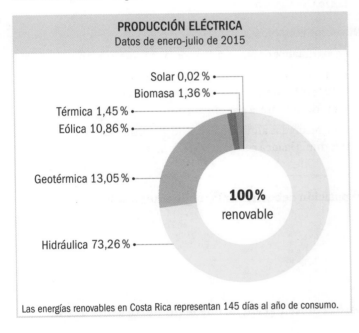

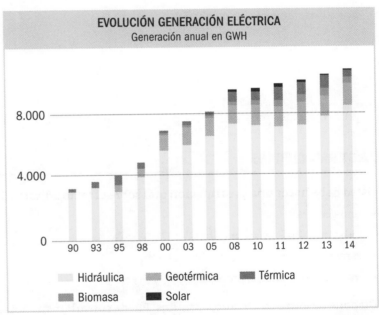

Fuente: "La electricidad en Costa Rica", *www.elmundo.es*

OPCIÓN 2

La semana pasada se abrió el plazo de solicitud de una beca para realizar estudios de máster en el extranjero. Además de su expediente académico, y acreditar su nivel de inglés, uno de los requisitos de las bases consiste en una carta de recomendación de uno/a de sus profesores/as de universidad. El plazo finaliza dentro de cuatro días. Escriba una carta de solicitud para conseguir la recomendación de su profesor/a. Deberá:

- pedir el favor de forma atenuada;
- detallar los datos de la beca y el plazo de presentación;
- describir lo importante que es para usted;
- agradecer el favor;
- solicitar una respuesta rápida y despedirse.

PRUEBA 4
Expresión e interacción orales

Características de la prueba

- La prueba de Expresión e interacción orales consta de tres tareas: una de expresión y dos de interacción.
- Dura 20 minutos.
- Se da un tiempo de preparación de 20 minutos para las tareas 1 y 2.
- Puedes tomar notas y escribir un esquema para consultar durante la prueba.
- Cuenta un 25 % de la calificación total.

Información útil

- En esta prueba son importantes la pronunciación y la entonación. Puedes practicarlas grabándote y escuchándote.
- Para hablar de manera fluida, puedes aprender frases y expresiones para comenzar, ganar tiempo, etc.
- Recuerda que al hablar, puedes inventar la información, si no quieres hablar por ti.

TAREA 1 • EXPOSICIÓN ORAL

Formato de la tarea

- Monólogo sostenido breve a partir de un texto.

Tipos de textos

- Texto del ámbito académico, profesional o público.

Extensión del texto

- Aproximadamente 800 palabras.

Qué tengo que hacer

- Comprender información fundamental de textos extensos y complejos con el fin de transferirla a un resumen y valorar el texto de forma justificada.

Duración

- Entre tres y cinco minutos.

Nuestros consejos

- En los minutos de preparación, toma notas de lo que quieres decir.
- Revisa las instrucciones y asegúrate de prepararte para dar toda la información que se pide. Puedes hacer un esquema y seguirlo durante la presentación.
- Si no recuerdas alguna palabra, utiliza otra parecida y reformula la idea con palabras similares.

INSTRUCCIONES

Usted debe hacer una presentación oral sobre el texto adjunto. Su exposición debe incluir los siguientes puntos:

- tema central;
- ideas principales y secundarias;
- comentario sobre las ideas principales;
- intención del autor, si procede.

Dispone de entre tres y cinco minutos. Puede consultar sus notas, pero la presentación no puede limitarse a una lectura de las mismas.

DEMASIADO DE TODO

Me encanta regalar, pero el consumo es sin duda la gran droga contemporánea. Y esta sociedad del desperdicio se dedica a agravar nuestra patología.

La red, ya se sabe, es una confusa máquina del tiempo que nos trae todo el rato hechos antiguos que son acogidos como si fueran nuevos y que se convierten en noticias virales de última hora. Pues bien, el oleaje de internet acaba de depositar una de estas viejas novedades en la playa de mi ordenador. Se trata de un discurso que dio en 2012 José Mujica, por entonces presidente de Uruguay, en la Cumbre de las Naciones Unidas por el Desarrollo celebrada en Río de Janeiro.

Mujica es un personaje singular; octogenario, simpático, humilde. Es cierto que fundó a los tupamaros, una organización terrorista y asesina semejante a ETA. Pagó con la cárcel y es probable que hoy ya no tenga nada que ver con el hombre que fue, pero no se ha arrepentido públicamente. Además ha sido amigo del chavismo, no ha abogado por los presos políticos venezolanos ni cubanos y ahora, tras la muerte de Fidel, ha escrito al dictador una carta abierta laudatoria bastante vergonzosa. Nadie es perfecto, y desde luego él tampoco. Pero el breve discurso de Río es de una veracidad y de una sabiduría estremecedoras. Con la misma sencillez con la que hablaría a un niño, Mujica nos enfrenta con la contradicción insalvable de nuestro sistema; con ese mercado que solo se sostiene en la multiplicación constante de un consumo enloquecido, depredador del planeta y causante de la infelicidad humana (si *googleas* "discurso de Pepe Mujica en Río + 20", podrás ver el vídeo).

Escucho sus palabras ahora, cuatro años después, rodeada de una marea de paquetes y paquetitos: son los regalos que tengo que hacer estas Navidades, un montonazo de objetos, porque, como a veces no me siento del todo segura del presente escogido, puedo comprar alguna cosa más para reforzarlo. Vamos a ver, me encanta hacer regalos a los seres queridos, pero ¿de verdad me he tenido que comprar medio Madrid para ello? Hay presentes, probablemente los mejores, que no se compran, sino que se fabrican, se inventan. Quizá no tengamos tiempo para regalar así: sin duda es más difícil. O quizá nos arrastre la compulsión consumista.

El ser humano es drogadicto por naturaleza. Lo leí hace años en un ensayo brillantísimo, *Escrito con drogas*, de Sadie Plant (Destino, 2003). Y por cierto que no somos el único animal que se coloca; si no recuerdo mal, Plant hablaba de conejos que comían hierbas alucinógenas, de ciervos y otros bichos. Hay algo en la vida misma que parece predisponernos a la adicción, y el consumo es sin duda la gran droga contemporánea. Y así estamos todos ahora, con el mono, mirando hipnotizados las vertiginosas lucecitas de Navidad.

Este demencial afán de acaparar quizá provenga de nuestros orígenes; somos criaturas oportunistas que, hace miles de años, tuvimos que sobrevivir sin casi nada en entornos muy duros. Es de suponer que un troglodita en mitad de una glaciación no desperdiciaba nada que encontrase: ni una rama rota para hacer fuego, ni una piedra de dimensiones apropiadas para servir de herramienta. Tal vez nos siga quedando ese mismo gen recolector en algún rincón de nuestro cerebro, pero la urgencia acaparadora que algún día nos salvó la vida hoy nos enferma gravemente. No me extraña que cada día sea más común el síndrome de Diógenes, esa patología que consiste en acumular tantos objetos que llegas a vivir enterrado en basura.

Escucho hoy a Mujica con melancólico pesimismo y pienso que todos o casi todos los humanos somos proyectos de Diógenes. Y que esta sociedad del desperdicio en la que vivimos se dedica a agravar nuestra patología con la obsolescencia programada, con campañas publicitarias enloquecedoras, con una inculta cultura de lo efímero. Y todo ello para el enriquecimiento de una élite, desde luego; pero esa élite tampoco es ajena a la compulsión y está inmersa en verdaderas orgías de consumismo. Qué mundo tan enfermo: ¿cómo podemos salir de esta trampa? Miro a mi alrededor y tengo demasiados libros, demasiados aparatos electrónicos, demasiados objetos decorativos, demasiada ropa, demasiado de todo. Ahora mismo la barbaridad de cosas que poseo, de muchas de las cuales ni me acuerdo, me angustia y me repugna. Pero no pasarán muchos días sin que compre algo.

Fuente: Rosa Montero, *www.elpaissemanal.elpais.com*

TAREA 2 • CONVERSACIÓN SOBRE UN TEMA

Formato de la tarea

- Debate formal a partir de tu opinión expresada en la tarea anterior.

Tipos de textos

- Preguntas y comentarios del entrevistador.

Qué tengo que hacer

- A partir del texto anterior, intervenir en una conversación argumentando tu postura formalmente y respondiendo de manera fluida a preguntas, comentarios y argumentaciones contrarias de carácter complejo.

Duración

- Entre cuatro y seis minutos.

Nuestros consejos

- Discute con el entrevistador educadamente.
- Repasa los recursos para desenvolverte en este tipo de interacción: introducir un argumento, rebatir, rectificar información, argumentar...

INSTRUCCIONES

Usted debe mantener una conversación con el entrevistador sobre el tema del texto de la Tarea 1. En la conversación, usted deberá:

- dar su opinión personal sobre el tema;
- justificar su opinión con argumentos;
- rebatir, si procede, las opiniones que exprese su interlocutor.

La conversación durará entre cuatro y seis minutos.

TAREA 3 • NEGOCIACIÓN

Formato de la tarea
- Conversación a partir de estímulos gráficos y visuales.

Tipos de textos
- Láminas con estímulos visuales o gráficos (fotografías, titulares de periódicos, carteles, anuncios, eslóganes...) que reflejan diferentes aspectos de un mismo tema.

Qué tengo que hacer
- Participar en una conversación formal para intercambiar ideas, expresar y justificar opiniones o hacer valoraciones para llegar a un acuerdo con el interlocutor.

Duración
- Entre cuatro y seis minutos.

Nuestros consejos
- Recuerda que para esta tarea no tienes tiempo de preparación.
- Discute con el entrevistador educadamente.
- Para practicar esta prueba antes, piensa en posibles situaciones entre dos personas en las que se contraponen gustos o intereses, y crea diálogos para practicar con otros compañeros de clase.
- Repasa los recursos para desenvolverte en este tipo de interacción.

INSTRUCCIONES

Una pareja está pensando en inscribir a su hija de cuatro años de edad a una actividad extraescolar para las largas tardes de invierno. Les gustaría algo que estimule su creatividad y al mismo tiempo que se divierta. Piensan que sería suficiente solo una actividad, ya que es muy pequeña todavía y preferirían que siga jugando en el parque.

Para decidir la opción más adecuada se deben tener en cuenta los siguientes aspectos:
- que su hija es bastante activa, se concentra con facilidad y tiene buen oído;
- que le motive y que sea una actividad adecuada para su edad;
- que no les suponga un esfuerzo económico excesivo;
- que las sesiones no duren demasiado.

Ahora mire las fotografías. Teniendo en cuenta los aspectos citados arriba, ¿cuáles cree que serían las actividades más adecuadas?

Utilice las fotografías para obtener ideas y discuta con el entrevistador cuáles serían las mejores opciones. Recuerde que se trata de una conversación abierta y que, por tanto, puede interrumpir a su interlocutor, discrepar, pedir y dar aclaraciones, argumentar sus opiniones, rebatir las del entrevistador, etc.

La duración de la conversación será de entre cuatro y seis minutos.

HOJA DE RESPUESTAS • PRUEBA 1 • COMPRENSIÓN DE LECTURA Y USO DE LA LENGUA

TAREA 1

1	2	3	4	5	6

TAREA 2

7	8	9	10	11	12

TAREA 3

13	14	15	16	17	18

TAREA 4

19	20	21	22	23	24	25	26

TAREA 5

27	28	29	30	31	32	33	34	35	36	37	38	38	40

HOJA DE RESPUESTAS • PRUEBA 2 • COMPRENSIÓN AUDITIVA Y USO DE LA LENGUA

TAREA 1

1 2 3 4 5 6

TAREA 2

7 8 9 10 11 12 13 14

TAREA 3

15 16 17 18 19 20

TAREA 4

21 22 23 24 25 26 27 28 29 30

Si quieres preparar mejor el

DELE C1

te recomendamos...

LAS CLAVES DEL NUEVO

DELE C1

María José Martínez
Daniel Sánchez
María Pilar Soria

- 5 modelos completos de examen
- Actividades de léxico y de gramática
- Desarrollo de las diferentes actividades lingüísticas
- Resúmenes gramaticales
- Consejos y sugerencias útiles para tener éxito en el examen

Audio MP3
descargable

difusión